sous la di

Le Mariage de Figaro

Beaumarchais

Notes, questionnaires et synthèses
adaptés par **Éléonore ANTONIADÈS**,
professeure au Cégep Marie-Victorin

établis par **Elsa JOLLÈS**,
agrégée de Lettres classiques

LES ÉDITIONS
CEC

9001, boul. Louis-H.-La Fontaine, Anjou (Québec) Canada H1J 2C5
Téléphone: 514-351-6010 • Télécopieur: 514-351-3534

Direction de l'édition
Katie Moquin

Direction de la production
Danielle Latendresse

Direction de la coordination
Rodolphe Courcy

**Charge de projet
et révision linguistique**
Nicole Lapierre-Vincent

Correction d'épreuves
Marie Théorêt

Conception et réalisation graphique
Girafe & associés

Illustration de la couverture
Stéphane Jorisch

Les Éditions CEC inc. remercient le gouvernement du Québec de l'aide financière accordée à l'édition de cet ouvrage par l'entremise du Programme de crédit d'impôt pour l'édition de livres, administré par la SODEC.

Le Mariage de Figaro,* collection *Grands Textes
© 2012, Les Éditions CEC inc.
9001, boul. Louis-H.-La Fontaine
Anjou (Québec) H1J 2C5

Dépôt légal : 2012
Bibliothèque et Archives nationales du Québec
Bibliothèque et Archives Canada

ISBN 978-2-7617-3708-1

Imprimé au Canada
1 2 3 4 5   16 15 14 13 12

Imprimé sur papier contenant 100 %
de fibres recyclées postconsommation.

Édition originale Bibliolycée
© Hachette Livre, 2001, 43 quai de Grenelle, 75905 Paris Cedex 15.

Sommaire

Présentation 5

Beaumarchais, toujours actuel

Beaumarchais, sa vie, son œuvre 10

  Beaumarchais, l'aventurier 10

  Le scandale jusqu'à la fin 12

Description de l'époque : le XVIIIᵉ siècle 16

  Quelques renseignements préliminaires 16

  Le contexte politique et social 17

  Vers la fin de l'Ancien Régime 18

  Le contexte littéraire et artistique 20

  Le théâtre 23

  Tableau synthèse : Caractéristiques de la littérature
  du Siècle des lumières 24

Présentation de la pièce 26

  La conjugaison de différents registres comiques 26

    La comédie d'intrigue 27

    La comédie de mœurs 28

    Le drame 29

    La farce 30

    La comédie-ballet 31

  Des personnages qui reflètent les tensions sociales 32

Beaumarchais en son temps 35

  Chronologie 36

Le Mariage de Figaro (texte intégral)

Épître dédicatoire 43   Acte II 121

Préface 45   Acte III 165

Personnages 88   Acte IV 199

Acte I 91   Acte V 223

Test de première lecture 258

L'étude de l'œuvre

Quelques notions de base 260

  Quelques renseignements sur le genre dramatique 260

  Tableau descriptif : La comédie et le drame 263

L'étude de la pièce par acte en s'appuyant sur des extraits 267

L'étude de l'œuvre dans une démarche plus globale 290

Sujets d'analyse et de dissertation 294

Glossaire 297

Bibliographie et filmographie 301

Caron de Beaumarchais,
né en 1732 et mort
en 1799, à Paris.
Gravure d'Émile Bayard.

PRÉSENTATION

Le mariage de Figaro *est-il toujours d'actualité ?*

Comment être indifférent à un écrivain comme Beaumarchais qui se distingue par un parcours hors du commun, lui qui fut à la fois horloger du roi, musicien, homme d'affaires, médiateur, espion et dramaturge ? Ses pièces, au succès retentissant, annoncent la révolution de 1789 qui renverse le régime depuis longtemps établi de la monarchie* absolue. Avec lui souffle un vent de révolte sur scène, incarné par un valet impertinent, Figaro, dont plusieurs traits de la personnalité sont empruntés à l'auteur lui-même. L'actualité de ses célèbres réparties demeure indéniable, dans notre monde désormais plus juste et égalitaire grâce, entre autres, aux combats féministes, aux luttes antiapartheid* et aux mouvements d'indépendance nationale. Les jeunes qui manifestent aujourd'hui pour réclamer une plus grande justice sociale souriront devant la fronde d'un valet qui a mille tours dans son sac pour sauver son amour.

Figaro par Émile Bayard.

5

* : *Cf.* Glossaire

Aboutissement de toute une tradition qui va de la farce* à la comédie* de mœurs, *Le mariage de Figaro* concilie plusieurs sources de comique. Le rire naît à la fois des jeux de mots qu'affectionne Beaumarchais et de la gestuelle. Les personnages se piègent les uns les autres et les situations qui prêtent à des quiproquos* sont multiples. Par la complexité de leur caractère et des réflexions qu'ils tiennent sur scène (notamment lors des monologues*), ils donnent une profondeur imprévisible à l'intrigue à mesure qu'approche le dénouement. Enfin, les héroïnes sont à la mesure de leurs vis-à-vis masculins : dignes comme la Comtesse ou espiègles comme sa camariste, ce sont elles qui sortiront gagnantes de tous ces chassés-croisés.

Comédie brillante et séduisante, pleine de rebondissements, *Le mariage de Figaro* est aussi une œuvre provocante. Elle suscite la controverse à une époque où on ne la supporte guère, comme en témoigne le fait que son auteur a été emprisonné au moment de la parution du texte. Un valet ose affronter son maître pour réclamer le droit au bonheur. La hiérarchie entre le maître et le valet bascule, puisque c'est ici Figaro qui mène le jeu alors qu'auparavant les domestiques ne servaient que de faire-valoir aux maîtres, comme c'était le cas chez Molière*. La pièce transpose sur scène les idées des philosophes du Siècle des lumières*, assurant d'abord le bonheur terrestre plutôt que la félicité éternelle. Toute l'action ne tourne-t-elle pas autour de deux thèmes complémentaires : l'amour et le désir ? Et en ces domaines, le peuple représenté par ce couple de domestiques semble montrer plus d'adresse et de capacité que la noblesse* blasée (le Comte) ou bercée d'illusions (la Comtesse). Cette pièce, enfin, qui décloisonne les différentes formes d'expressions artistiques et entremêle peinture, danse et musique se range parmi les œuvres avant-gardistes. Spectacle chatoyant et mouvementé qui tient le spectateur en haleine, *Le mariage de Figaro* se démarque en outre par le nombre de ses figurants et par la profusion de ses décors et costumes.

Mais en 1784, lors de la première représentation, la pièce fait scandale : le roi Louis XVI* se sent attaqué, l'Église est outragée

* : *Cf.* Glossaire

et les ennemis se délectent en calomniant l'auteur. Mais le public lui réserve un triomphe. Peut-on dire que la comédie agit comme un signe avant-coureur de la révolution de 1789 qui renverse l'Ancien Régime et marque un pas vers l'avènement de la démocratie? Ce qui est certain cependant, c'est qu'elle exprime l'appel à la justice et le goût du bonheur de ces petites gens jusqu'à maintenant soumises aux caprices des puissants.

Beaumarchais, toujours actuel

Beaumarchais, sa vie, son œuvre

Beaumarchais, peint par Jean-Marc Nattier, portraitiste de la cour de Louis XV.

> En quoi la connaissance de l'homme Pierre-Augustin Caron de Beaumarchais peut-elle faciliter la compréhension de son œuvre ?

Beaumarchais, l'aventurier

Pierre-Augustin Caron naît à Paris en 1732 dans une famille d'artisans à l'aise, de religion protestante. L'enfance est heureuse au milieu de ses cinq sœurs avec qui il joue souvent de la musique. Après avoir reçu une formation technique, il devient à 13 ans apprenti horloger. Cependant, ses écarts de conduite rendent la cohabitation avec son père difficile : il y a chez lui une précocité qu'il prêtera au personnage de Chérubin dans sa pièce.

Astucieux et inventif comme Figaro, Pierre-Augustin Caron met au point à 20 ans un nouveau mécanisme d'horlogerie. Un rival s'approprie son invention. Beaumarchais fait des pieds et des mains pour revendiquer ses droits ; il alerte l'opinion publique, tactique fructueuse dont l'écrivain se servira à plusieurs reprises. Cette célébrité vite acquise lui ouvre les portes de la cour de Versailles* : il fabrique des montres pour madame de Pompadour* et les filles du roi Louis XV*. Il devient aussi maître de harpe grâce à ses talents de musicien.

L'achat d'une charge de secrétaire du roi l'anoblit et il se nomme dorénavant M. de Beaumarchais. En effet, il était fréquent à l'époque que des bourgeois* acquièrent des titres de noblesse* avec particule (*de*

Bourgeoisie

Issu du peuple, ce groupe de notables et de commerçants mise sur le travail, l'ambition et le talent pour progresser socialement.

Noblesse

Classe sociale qui se caractérise par le fait que ses membres héritent d'un titre et de privilèges à la naissance.

* : *Cf.* Glossaire

Biographie

Beaumarchais), contribuant de cette manière à renflouer les coffres du royaume. Marié une première fois en 1756 à une riche veuve qui décède un an après leur union (il est même soupçonné de l'avoir assassinée), il se remarie en 1768. Quand cette deuxième épouse décède, bientôt suivie de son fils et de sa fille, il est accusé d'avoir falsifié le testament ; Beaumarchais est emprisonné. Il prétend alors que le juge responsable du procès est corrompu, et il écrit contre lui quatre *Mémoires*, véritables chefs-d'œuvre satiriques*. Un second procès lui donne gain de cause. Ces événements lui font toutefois une réputation sulfureuse*, d'autant plus qu'il fait montre d'un grand talent de spéculateur qui lui permet de s'enrichir rapidement.

En 1764, il se rend à Madrid pour défendre une de ses sœurs, abandonnée par son séducteur. Toujours aussi ambitieux, il en profite pour faire fructifier ses affaires. Des mésaventures de sa sœur il tire son premier drame bourgeois*, *Eugénie* (1767), et, quelques années plus tard, il publiera *Les deux amis ou Le négociant de Lyon* (1770).

Désirant retrouver les faveurs royales, Beaumarchais propose ses services au monarque, en 1774, à titre d'agent secret de Sa Majesté. Envoyé en mission à Londres pour obtenir la destruction d'un pamphlet attaquant Mme du Barry, la favorite* du roi, il parvient à son but mais n'obtient pas la reconnaissance attendue car Louis XV meurt sur les entrefaites. Beaumarchais poursuit sur sa lancée : il part à Vienne pour retrouver l'auteur d'un libelle* qui s'en prend cette fois à la nouvelle reine de France, Marie-Antoinette. Sa mission accomplie, il repart encore une fois à Londres, en 1775, pour rencontrer le chevalier d'Éon, espion devenu célèbre par ses travestissements en femme, qui menaçait de dévoiler des secrets d'État. La négociation aboutit, et Beaumarchais obtient, cette fois, la révision de son procès et sa réhabilitation. La même année, *Le barbier de Séville*, qui s'inscrit dans

Satirique
Qui caractérise un écrit, un discours qui s'attaque à quelqu'un ou à quelque chose en s'en moquant.

Sulfureux
Synonyme de scandaleux.

Drame bourgeois
Catégorie de pièce décrite par Diderot, qui souhaite présenter des scènes de la vie bourgeoise tout en cherchant à attendrir le public pour faire son éducation morale (*Eugénie* et *La mère coupable* sont des drames bourgeois écrits par Beaumarchais).

Libelle
Écrit qui porte atteinte à la réputation ou à l'honneur de quelqu'un.

* : *Cf.* Glossaire

la tradition de la *commedia dell'arte**, triomphe à la Comédie-Française, lui permettant ainsi d'acquérir de la notoriété.

Ce tourbillon d'activités – sans l'épuiser – stimule la curiosité insatiable de Beaumarchais. Découvrant l'ampleur de la révolte des colons américains contre la Grande-Bretagne, leur mère patrie, il sollicite l'appui du roi à leur cause. Il organise, pour les insurgés, une livraison d'armes, et le gouvernement français lui remet une très forte somme d'argent avec laquelle il fonde une société maritime qui sert d'alibi au fonds d'aide.

Dans le but de protéger les droits des écrivains sur leurs œuvres et parce qu'il est en conflit avec la Comédie-Française, qui ne paie pas suffisamment les auteurs des pièces au profit des comédiens, il fonde, en 1777, la Société des auteurs dramatiques* – qui continue aujourd'hui de jouer un rôle important. En 1780, il met sur pied la Société littéraire et typographique, destinée à éditer à Kehl, en Allemagne, les œuvres de Voltaire* alors interdites en France. Cet acte généreux et symbolique ruine Beaumarchais, mais montre cependant à quel point il a conscience de la fonction sociale des écrivains et de l'importance fondamentale de la pensée des lumières*. Par ce geste, il se taille une place parmi les intellectuels.

Le scandale jusqu'à la fin

Dès 1778, Beaumarchais rédige une première version de *La folle journée ou Le mariage de Figaro*, qui est la suite du *Barbier de Séville*. Louis XVI* juge la pièce « détestable et injouable » et la fait examiner par six censeurs différents, comptant ainsi en retarder la première représentation. Soumise pendant cinq ans à une censure tenace, la pièce triomphe finalement à la Comédie-Française le 27 avril 1784 : on en donne

* : *Cf.* Glossaire

soixante-sept représentations dans l'année, fait exceptionnel pour l'époque. Beaumarchais ironise en constatant qu'«il y a quelque chose de plus fou que ma pièce, c'est son succès». Mais le scandale persiste, et Beaumarchais se fait emprisonner quelques jours, en 1785, parce qu'une de ses lettres aurait été injurieuse envers le roi. En 1786, l'intrigue du *Mariage de Figaro* touchera le grand compositeur autrichien Mozart*, qui créera son opéra *Le nozze di Figaro*, bientôt monté à Vienne une première fois. En 1792, le dramaturge complète sa trilogie de la famille Almaviva avec *La mère coupable* (1792), drame* larmoyant et moralisateur qui déçoit le public.

Mais pendant ce temps, toujours aussi fébrile, Beaumarchais ne renonce pas à ses affaires et finance la Compagnie des eaux des frères Périer, d'où naîtra une polémique avec Mirabeau, le futur orateur révolutionnaire. Pour la première fois, l'opinion publique ne le soutient pas. Il écrit également un opéra avec le musicien Salieri, *Tarare* (1787), qui obtient un grand succès à l'époque pour ensuite tomber dans l'oubli.

Sa vie sentimentale désormais plus calme compense toutefois l'agitation de sa vie publique : en 1786, il épouse Marie-Thérèse de Willermaulaz, sa compagne depuis 1774 et mère de sa fille Eugénie, née en 1777.

En 1789, Paris est en ébullition. Plusieurs historiens ont d'ailleurs affirmé que l'insolence du valet Figaro était en quelque sorte un signe avant-coureur de cette insurrection qui va chambarder profondément les institutions politiques de la France. Beaumarchais se laisse gagner par l'enthousiasme au moment de la prise de la Bastille à côté de laquelle il s'est, malencontreusement dans les circonstances, fait construire un somptueux hôtel particulier qui attire sur lui toutes les convoitises. Pour faire contrepoids, il décide de servir de plus près la Révolution : il veut mettre à la disposition de l'armée républicaine soixante mille fusils qu'il compte se

Drame

Type de pièce d'abord décrite par Diderot, philosophe des lumières, et qui devait représenter de façon vraisemblable la vie des bourgeois. Cette conception exerce une grande influence sur Beaumarchais qui s'y réfère notamment dans la préface de sa pièce. Le drame sera redéfini au siècle suivant par les romantiques.

*: *Cf.* Glossaire

procurer en Hollande. Mais cette proposition éveille les soupçons. Son propre camp l'accuse même de cacher ces armes et le fait emprisonner en 1792! Échappant de peu aux exécutions et aux massacres en série, il part à Londres, mais, accusé d'émigration (donc d'avoir laissé tomber son pays), il revient à Paris plaider sa cause. Sa fortune imposante et sa personnalité, aussi fascinante qu'ambiguë, jouent contre lui : on se méfie de son opportunisme. On l'envoie en mission officielle en Hollande et, malgré cela, il est mis sur la liste des émigrés dont les biens doivent être réquisitionnés. Il ne reviendra en France qu'en 1795 avec le Directoire.

Incorrigible hyperactif, toujours porté vers les projets périlleux, Beaumarchais tente de convaincre le gouvernement de percer l'isthme de Panama. Ses dernières années le voient s'occuper du développement des montgolfières, témoignage, s'il en est, de son esprit toujours curieux et avant-gardiste. Peu après le mariage de sa fille Eugénie, il meurt à demi sourd le 18 mai 1799 dans sa luxueuse demeure parisienne.

Intrépide et inventif comme son valet Figaro, toujours à l'affût des bonnes affaires, capable de se tirer des pires pétrins, Beaumarchais aura été une des personnalités les plus captivantes de son siècle. Débrouillard tout en ayant le goût du risque, sachant protéger ses intérêts, il cumule les qualités qu'on associe à la classe bourgeoise, celle-là même qui s'apprête à prendre le pouvoir dans une France séduite par le libéralisme économique.

- Beaumarchais fait basculer sur scène la relation traditionnelle qui unissait le maître à son valet notamment dans les pièces de Molière* : désormais, c'est le domestique Figaro qui prend l'initiative et l'emporte sur le noble, le comte Almaviva.

- Les célèbres réparties de Figaro font souffler un vent de révolte sur scène, et certains historiens voient même dans la pièce un prélude à la révolution de 1789.

- Acteur plus qu'uniquement témoin de son siècle, Beaumarchais incarne en quelque sorte cette frange ingénieuse de la population, la bourgeoisie, à l'affût des bonnes affaires, sachant prendre des risques, qui investira ses capitaux dans l'industrialisation de la France au siècle suivant.

À retenir

*: *Cf.* Glossaire

Description de l'époque : le XVIIIᵉ siècle

Qu'importe-t-il de connaître de l'histoire du XVIIIᵉ siècle pour mieux apprécier Le mariage de Figaro ?

Quelques renseignements préliminaires

Le XVIIIᵉ siècle est une époque de bouleversements profonds tant en Europe qu'en Amérique. En France, la mort de Louis XIV en 1715 sonne en quelque sorte le glas de la monarchie* absolue puisque son successeur, Louis XV, ne sera pas à la hauteur des responsabilités qui incombent à un souverain dans un tel régime. Par sa personnalité velléitaire, Louis XVI, qui hérite de la couronne en 1774, n'arrive pas à juguler l'opposition ni à redresser les finances du royaume. Le renversement de la royauté paraît, dans ce contexte, prévisible.

En Amérique, les États-Unis choisissent la voie de l'indépendance et de la démocratie en 1776. Plus au nord, la Nouvelle-France est cédée à l'Angleterre en 1760. Le nouveau gouvernement d'allégeance britannique adopte la Loi de Québec (1774) qui permet au peuple vaincu, les Canadiens français, de conserver leur langue, leur religion et l'usage de la loi française dans leurs tribunaux.

Écrivain du Siècle des lumières, Beaumarchais partage avec ses contemporains ce désir de rendre accessible le bonheur sur terre plutôt que dans un paradis céleste illusoire.

Monarchie

Régime autocratique et héréditaire selon lequel le souverain exerce seul le pouvoir, sans avoir à rendre de comptes à personne.

* : *Cf.* Glossaire

Le contexte politique et social

Louis XIV laisse comme successeur un enfant orphelin de 5 ans, son arrière-petit-fils Louis XV. Dans son testament, il confie la régence* à son neveu, le duc Philippe d'Orléans, qui devait gouverner jusqu'à ce que l'héritier atteigne sa majorité et soit déclaré roi, en 1723. Au décès du régent, la même année, le jeune roi confie à son précepteur*, le cardinal Fleury, l'administration du royaume car lui-même manifeste peu d'intérêt pour sa fonction. Quand meurt le cardinal, l'entourage croit que le roi va enfin assumer ses obligations. Louis XV tombe alors gravement malade ; ses sujets, qui s'inquiètent de sa santé, lui témoignent momentanément une grande affection et le surnomment *Louis le Bien-aimé*.

Une fois guéri, le roi demeure toutefois fidèle à lui-même : timide et apathique, Louis XV manque toujours de confiance en lui. Il a en outre la réputation de mener dans le privé une vie dissolue. Ses ministres et même sa maîtresse pendant vingt ans, la marquise de Pompadour, exercent sur lui une influence déterminante. Les parlements profitent de la passivité royale et des difficultés financières du pays pour critiquer la monarchie et exiger une plus grande latitude dans le gouvernement du pays. Déçue par Louis XV, la nation discrédite la royauté. À sa mort, les proches du roi évitent les funérailles publiques ; c'est de nuit qu'on le conduit à sa sépulture.

Cependant, les Français restent attachés à la royauté. Le dauphin, petit-fils de Louis XV, est âgé de 20 ans ; foncièrement bon et honnête, Louis XVI est sans grâce et lourdaud. Comme son physique contribue à le rendre timide, il se réfugie dans son atelier de serrurerie où il est plus à l'aise qu'à la cour, ou il s'évade en s'adonnant à son sport préféré, la chasse. Son manque de volonté le met à la merci de toutes les

Régence

Exercice du pouvoir par un régent qui remplace le roi absent ou trop jeune pour régner.

Précepteur

Éducateur privé à l'emploi des familles nobles ou de la haute bourgeoisie.

*: *Cf.* Glossaire

influences ; la plus néfaste est celle de la reine, la jeune Marie-Antoinette, vive et capricieuse : son goût pour les fêtes, ses folles dépenses, ses courtisans avides de pensions et son origine autrichienne la rendent impopulaire.

Au moment de la première représentation du *Mariage de Figaro* en 1784, Louis XVI est déjà installé sur le trône depuis dix ans. Il est en pleine force de l'âge, et, pourtant, son autorité est vacillante. Les ministres qui se succèdent lui répètent que les caisses de l'État sont vides ; Turgot (1774-1776) et Necker* (1776-1781) échouent dans leurs tentatives d'assainir les finances. Ce dernier, dans son *Compte rendu au roi* (1781), souligne l'énorme poids que constituent les pensions annuelles attribuées aux courtisans. Pour conserver leurs privilèges, les aristocrates acculent le riche banquier genevois à la démission la même année. En effet, jamais la cour n'a paru autant dépenser : la reine Marie-Antoinette donne fête sur fête, ce qui attise la grogne du petit peuple de Paris qui va bientôt cogner aux portes de Versailles.

Vers la fin de l'Ancien Régime

L'insatisfaction a des causes multiples. D'abord, l'impuissance des élites à juguler la crise économique et sociale ; la pénurie de blé qui touche surtout le peuple pour qui le pain est un aliment de base ; la croissance économique fragilisée par l'implication de la France dans la guerre d'indépendance américaine (1776). Plusieurs gentilshommes, parmi lesquels le marquis de Lafayette*, se sont en effet portés volontaires pour servir cette cause qui allait permettre de voir incarnées dans la politique d'un pays les idées des philosophes des lumières.

Pendant ce temps, en France, la misère se répand tant dans les campagnes, où les paysans ont de trop

---

Necker

(1732-1804) : banquier genevois, seul ministre de Louis XVI qui n'était pas d'origine noble.

Lafayette, marquis de

(1757-1834) : général et homme politique français. Il a pris une part active à la guerre de l'Indépendance en Amérique, aux côtés des insurgés.

---

* : *Cf. Glossaire*

petites exploitations pour subvenir à leurs besoins, que dans les villes, où la mendicité et le vagabondage ne cessent d'augmenter.

La bourgeoisie aussi exprime son mécontentement. Cette classe montante, à laquelle appartient Beaumarchais, accepte mal la priorité accordée à une noblesse devenue parasitaire, qui vit de privilèges accordés à la naissance, alors qu'eux doivent faire preuve de talent pour progresser socialement. Par son insolence envers le comte Almaviva, Figaro illustre en quelque sorte ce ressentiment, qui s'exprime dans son long monologue*. Les bourgeois souhaitent assumer un plus grand rôle dans la direction du pays et lever les barrières qui nuisent aux échanges commerciaux et à la libre entreprise. Ils veulent transformer les institutions françaises en s'inspirant des idées mises de l'avant par les philosophes des lumières.

Beaumarchais, comme individu, incarne les paradoxes de cette classe qui veut à la fois se substituer à la noblesse dans l'exercice du pouvoir, mais qui est aussi avide d'honneurs et de privilèges. C'est comme si la bourgeoisie résistait mal à la fascination qu'exerce le mode de vie aristocratique, auréolé de prestige. Avant la Révolution, on voit le dramaturge toujours en train de chercher la reconnaissance de la cour; au moment de la Révolution, il se met au service des révolutionnaires, en dépit du fait qu'il affiche tous les signes de la réussite matérielle.

Monologue

Énoncé d'un personnage se parlant à lui-même, à haute voix pour être entendu de l'auditoire.

* : *Cf.* Glossaire

- Au moment du décès de Louis XIV en 1715, rien ne laisse présager la révolution de 1789 : le peuple reste attaché à la royauté. S'il y a érosion de ce sentiment au cours du siècle, le blâme en revient aux souverains, insensibles aux dures conditions de vie de leurs sujets.
- Le train de vie dispendieux des courtisans mène la France au bord de la faillite ; les mœurs dissolues de certains des Grands du royaume (si ce n'est le roi lui-même dans le cas de Louis XV) attisent la hargne du peuple.
- La bourgeoisie veut prendre la place qui lui revient dans l'administration du pays : elle se montre avide de pouvoir, mais convoite aussi les honneurs.

Le contexte littéraire et artistique

Les « lumières » sont un courant philosophique et littéraire qui traverse toute la pensée européenne au XVIIIe siècle et qui tente, au sens littéral du terme, d'arracher l'homme à l'obscurantisme pour l'amener vers les lumières de la raison. Dans une monarchie absolue, le roi exerce son autorité sans balises ni limites ; l'individu est soumis à un pouvoir abusif, ce qui l'empêche d'exercer son libre arbitre. Au XVIIIe siècle, l'obscurantisme est aussi associé à la religion, qui use de son emprise sur le croyant pour le maintenir dans la superstition, si ce n'est dans l'ignorance. Comme il n'y avait pas, à ce moment-là, de reconnaissance des droits humains, la justice est exercée arbitrairement et de façon inégale d'un individu à l'autre. Dans la société de l'Ancien Régime, non seulement les nobles profitent de privilèges à la naissance, mais ils peuvent aussi agir en toute impunité puisque leurs méfaits sont rarement punis. Les écrivains philosophes s'inspirent de modèles étrangers, notamment du régime britannique, plus démocratique, pour proposer des réformes.

Au XVIIIe siècle, les esprits cultivés veulent aussi mettre la science à la portée des «honnêtes gens». Dans les salons mondains*, on s'intéresse aux sujets littéraires autant qu'aux questions scientifiques. Dans les faits, la science, qui progresse à pas de géant, contribue à l'amélioration de la vie courante. En usant de leur esprit critique, les philosophes s'attaquent à toute superstition, et la religion devient, notamment pour Voltaire, une cible privilégiée. Les philosophes dénoncent aussi les abus de pouvoir et les jugements arbitraires; la monarchie absolue ne tardera plus à faire figure de régime dépassé, obsolète, qu'il faut changer. Les philosophes luttent contre toute forme d'oppression; ils revendiquent une justice plus éclairée, fondée sur la reconnaissance des droits humains.

Par sa thématique, par son esprit revendicateur, Beaumarchais présente de fortes affinités avec les écrivains philosophes, ses contemporains. Plusieurs d'entre eux sont des penseurs qui imposent un style d'abord rationnel, souvent fondé sur l'ironie. Ainsi en est-il de Montesquieu ou de Voltaire, qui protestent contre le despotisme* et les injustices, alors que Rousseau pousse l'audace jusqu'à réclamer un nouveau *Contrat social* fondé sur l'égalité entre les hommes et la souveraineté des peuples. Denis Diderot* dirige l'*Encyclopédie* où collaborent écrivains et savants qui s'acharnent contre les idées reçues, les préjugés et les superstitions. Diderot fait confiance aux progrès de la civilisation et croit que les connaissances assureront le bonheur de l'être humain. Dans les hautes sphères du pouvoir politique ou religieux, on craint cet ouvrage qui répand dans la société l'esprit des lumières rationaliste, positif et utilitaire, tout en remettant en question l'enseignement biblique et les connaissances héritées de la tradition.

La langue française jouit en Europe d'un grand prestige. Quiconque se pique d'être cultivé connaît le français. On est à l'affût du dernier livre paru en France:

Salons mondains

Lieux de rencontre et de discussion de l'élite.

Despotisme

Pouvoir absolu, arbitraire et oppressif.

Diderot, Denis

(1713-1784): écrivain qui porte notamment sa réflexion sur le renouvellement des genres littéraires; il dirige l'*Encyclopédie* de 1747 à 1766.

*: Cf. Glossaire

Comédie

Pièce de théâtre qui suscite le rire par la peinture de mœurs, de caractère, ou la succession de situations inattendues.

Correspon-dances

À partir de la seconde moitié du XVIIIᵉ siècle, ensemble de lettres périodiques, adressées de Paris à des correspondants étrangers.

ouvrages des philosophes, comédies* de Marivaux*, romans de l'abbé Prévost*. De plus, les gens s'abonnent aux correspondances* littéraires ou philosophiques pour se documenter sur la vie intellectuelle et artistique de Paris. La peinture n'est pas en reste avec Watteau*, dont les «fêtes galantes» sont de vrais poèmes en peinture; de leur côté, Fragonard* et Boucher* décrivent la frivolité de la société de leur époque. En musique, Rameau se distingue dans l'art de l'opéra. Ainsi, la vie mondaine est très active; l'art, plus libre, reflète l'élégance des mœurs et l'amour de la vie. Dans les salons, on discute de littérature, de problèmes sociaux et de théories scientifiques.

La décennie prérévolutionnaire marque un tournant dans le siècle. Les grands philosophes meurent à peu près tous à cette période: Voltaire et Rousseau en 1778, Diderot quelques semaines seulement après la première du *Mariage de Figaro*, en 1784. Par la suite se développe une nouvelle approche de la littérature désormais exercée comme un véritable métier et non comme un passe-temps de gens bien nés. Ce sont surtout des pamphlétaires qui illustrent cette tendance en attaquant dangereusement le pouvoir et en entre-tenant une grande haine du «despotisme dégénéré» et des classes privilégiées. C'est de ce groupe que sortira Marat, fondateur du journal révolutionnaire *L'ami du peuple*. Les nobles, de leur côté, cherchent à empêcher que se répandent ces écrits parfois calom-nieux et orduriers à travers toute l'Europe: pour ce faire, ils prennent à leur service des espions comme l'ambitieux Beaumarchais, notamment lorsque ces écrits s'attaquent à la comtesse du Barry ou à Marie-Antoinette!

Le théâtre

À l'époque de Beaumarchais, le théâtre est le genre littéraire prédominant et le loisir obligé de tous les Français citadins, quel que soit leur rang social. Plus qu'une distraction, c'est un véritable mode de vie, et il n'est pas rare que les bourgeois s'y rendent trois ou quatre fois par semaine. Quatre grandes salles parisiennes détiennent le monopole : la Comédie-Française et l'Odéon sont les salles où se joue l'ensemble du répertoire français, l'Opéra présente les ballets et les pièces lyriques* tandis que l'Opéra-comique est le lieu de danses et de chants au sein de pièces un peu moins asservies aux conventions. Le théâtre de foire, monté sur de simples tréteaux, parvient à subsister ; il présente des comédies grossières héritées des farces* médiévales et de la *commedia dell'arte*, dont les personnages sont stéréotypés à l'extrême.

On serait tenté de croire qu'à chaque milieu social correspond un certain type de théâtre. Cependant, la situation est plus complexe : les grands théâtres accueillent à la fois grands seigneurs et petits bourgeois, qui ne se séparent qu'à l'intérieur du lieu entre loges, parterre et amphithéâtre. À l'inverse, les nobles peuvent fréquenter les théâtres de rue et vont jusqu'à faire jouer, dans leur appartement, des farces populaires et des parades* ; c'est d'ailleurs par ce type de théâtre que Beaumarchais entame sa carrière.

En guise de bilan, le tableau suivant présente une synthèse des caractéristiques de la littérature des lumières. Cet outil peut aider l'étudiant à dégager les grandes articulations de son plan avant de passer à l'étape de la rédaction.

Lyrique

Qui exprime des émotions ou des sentiments personnels.

Farce

Pièce de théâtre dont les origines remontent au Moyen Âge et qui s'adresse à un public populaire en misant notamment sur un comique de geste.

Parade

Scène de farce jouée dans les rues pour attirer les gens au théâtre. Au XVIIIe siècle, la noblesse fait jouer dans ses cercles privés des parades imitant le langage populaire.

* : *Cf.* Glossaire

Tableau synthèse : Caractéristiques de la littérature du siècle des lumières

Époque, principaux représentants et genres* privilégiés	Le XVIIIe siècle Un siècle d'idées, en marche vers la Révolution
	• Le siècle favorise les formes hybrides : le drame (mélange de comique et de tragique), la comédie sentimentale (un comique subtil qui fait plutôt réfléchir que rire), le conte philosophique (à la frontière entre le récit et l'essai). • **En France :** Montesquieu, Voltaire, Diderot, Rousseau, Beaumarchais, Marivaux et autres. • **Au Québec :** Jacques Ferron transpose au XXe siècle l'esprit des lumières en adoptant et en adaptant la forme du conte philosophique.
Caractéristique générale : toute fiction au service de l'argumentation	• Les écrivains favorisent une écriture militante qui fait réfléchir sur les faits de l'actualité. • Ils aiment illustrer les «jeux de l'amour et du hasard». • L'humour et l'esprit critique sont au service de la polémique. • La problématique politique occupe une place prépondérante, car il s'agit non pas de viser le paradis céleste, mais plutôt de rendre accessible aux gens le bonheur terrestre.
Intrigues au service d'une vision philosophique	• Les personnages sont les porte-parole de l'auteur dans l'affrontement des idées. • Au théâtre, le représentant du peuple est un valet débrouillard et revendicateur ; le maître, un profiteur libertin. • Les déguisements et les jeux de masques représentent à la fois les inquiétudes individuelles et la fragilité de la structure sociale.

*: Cf. Glossaire

Tableau synthèse : Caractéristiques de la littérature du siècle des lumières (suite)

Thématique de revendication et de quête du bonheur	• Au théâtre, l'intrigue illustre les conflits entre maîtres et valets et la quête de bonheur et de justice sociale. • Dans la prose, on assiste à une dénonciation des superstitions et des abus de pouvoir, si ce n'est de la religion elle-même. • L'amour se conjugue avec l'érotisme et les jeux de la séduction. • L'analyse psychologique se raffine, surtout au théâtre.
Style qui préfère la raison et qui pratique l'humour tout en explorant de nouvelles formes	• La prose s'impose au détriment de la poésie. • Le style est alerte, audacieux dans les raisonnements. • L'humour et les jeux de mots brillants s'imposent. • La tonalité* est optimiste.

* : *Cf.* Glossaire

Présentation de la pièce

> **En quoi ces renseignements peuvent-ils aider l'étudiant à comprendre l'œuvre ?**

Le mariage de Figaro est une des plus longues pièces du théâtre français. Elle comporte cinq actes et quatre-vingt-douze scènes ; sa présentation dure trois heures et demie. Aux seize personnages à qui Beaumarchais attribue des répliques, il faut ajouter les figurants, les paysans et paysannes dont la présence sur scène était alors peu courante. La comédie présente aussi deux scènes inhabituellement longues : le récit de la vie de Figaro (acte V, scène 3) et les retrouvailles de Marceline et de son fils (acte III, scène 16). Pour donner l'illusion de la complexité de la vie, ces deux récits viennent s'ajouter à une intrigue touffue. De plus, Beaumarchais marie dans cette pièce la littérature à la musique, le chant au ballet.

La conjugaison de différents registres comiques

Le mariage de Figaro est une comédie qui peut être reliée à plusieurs genres et qui se définit par la variété de ses registres. Comme le précise Michel Corvin dans son ouvrage *Lire la comédie*, c'est une « pièce somme, pièce monstre, dernier feu d'artifice de ce que la comédie traditionnelle, dans tous ses sous-genres exploités au mieux de leurs possibilités, a produit de plus brillant et de plus inattendu[1] ». En effet, Beaumarchais tire profit de ressources variées pour

---

1. Michel Corvin, *Lire la comédie*, Dunod, 1994.

rendre sa pièce réellement originale. À la **comédie d'intrigue**, il ajoute la **comédie de mœurs**, car il n'hésite pas à attaquer la justice, les mœurs politiques, bref les institutions du XVIIIe siècle. Il inclut des passages qui rapprochent la pièce du **drame**, tel que décrit par Diderot, ou, ailleurs, de la **farce**, telle qu'héritée du Moyen Âge. Enfin, cette pièce poursuit aussi la tradition baroque de la **comédie-ballet**. Sur cette profusion d'effets plane la personnalité de l'auteur. Dans le personnage de Figaro, Beaumarchais a concentré tous ses instincts de révolte : il se fait le défenseur des petites gens, il prêche la liberté contre le despotisme et privilégie l'égalité plutôt que le népotisme*.

La comédie d'intrigue

La comédie d'intrigue, chère au XVIIe siècle, présente un ensemble de personnages conçus pour s'ajuster à un emploi. Leur personnalité, dessinée à gros traits, est prédéfinie, codée en quelque sorte : le valet est malicieux, la jeune fille, ingénue, la coquette, astucieuse, le vieillard, suspicieux et généralement trompé… Force est de constater que Figaro, Suzanne, Fanchette, la Comtesse ou Bartholo tirent une partie de leurs traits de caractère de ces emplois. Et si les personnages sont stéréotypés, les situations ne le sont pas moins puisque les comédies d'intrigue répètent les mêmes motifs : enlèvements, scènes de reconnaissance, duels, naufrages…Tous ces rebondissements suscitent la surprise : la scène de reconnaissance entre Figaro et Marceline en constitue le parfait exemple. Par inclination naturelle, Beaumarchais aime les intrigues, aussi semble-t-il s'amuser à compliquer la sienne à loisir. En effet, les défis sont multiples : comment se marier en empochant une dot et en trompant un seigneur tout-puissant ? Comment prendre au piège un mari infidèle ? Comment avouer son amour à une marraine qui inspire le respect ? De fait, l'intrigue de la pièce de théâtre est réellement complexe et son traitement est éblouissant.

Népotisme

Favoritisme, abus qu'une personne au pouvoir exerce pour procurer des avantages à ses amis ou à ses parents.

27   *: *Cf.* Glossaire

La comédie de mœurs

Beaumarchais retient aussi l'apport fondamental de Molière en ajoutant des éléments empruntés à la comédie de mœurs. Il s'agit ici de remettre en question les travers de l'époque, de jeter un regard critique sur ses institutions sociales, depuis la famille jusqu'à la société en général. En effet, Beaumarchais a bien saisi l'esprit du siècle en tournant en dérision les abus des nobles et il n'a pas hésité à prendre la défense des plus faibles. La Comtesse cherche à reconquérir son mari en l'éloignant de Suzanne. Elle mène des intrigues contre lui et on voit ce dernier perdre à la fin toute crédibilité puisqu'il est obligé de demander pardon par trois fois à sa femme. Ainsi, une des missions des philosophes des lumières qui cherchent à lutter contre « les abus qui désolent la société » est bien remplie par la pièce.

Beaumarchais ne se contente pas de critiquer la noblesse ; la façon d'administrer la justice à l'époque est largement ridiculisée. Il présente dans cette pièce une caricature des procès tels qu'ils se déroulaient au XVIIIᵉ siècle : bâclés, ils sont soumis à l'arbitraire et l'inégalité y règne en maître. Figaro devra épouser Marceline parce que le Comte cherche à se débarrasser de lui pour assouvir ses appétits sexuels pour Suzanne. La corruption des nobles est également dénoncée : le Comte cumule les fonctions de juge et de partie prenante dans tous les conflits qui touchent sa maison. Figaro dénonce la situation privilégiée des nobles qui, bien qu'ils n'aient rien accompli dans leur vie, jouissent de tous les privilèges. Il adresse en effet des questions chargées d'animosité au Comte : « Qu'avez-vous fait pour tant de biens ? Vous vous êtes donné la peine de naître, et rien de plus » (acte V, scène 3).

Avant-gardiste, Beaumarchais l'est aussi en adoptant un discours féministe avant la lettre : il dénonce par la bouche de Marceline l'injustice que subissent les femmes dans une société patriarcale. Les lois sont faites par les hommes à l'avantage des hommes. N'est-ce pas

Bartholo, le séducteur de Marceline, qui lui reproche « ses erreurs de jeunesse » (acte III, scène 16) ? Le Comte ne veut-il pas renouveler ses plaisirs avec Suzanne qu'il considère comme un objet sexuel ? N'est-il pas prêt à punir sa femme s'il découvre son infidélité alors que lui-même pratique le libertinage* à outrance ?

La thématique de la pièce renvoie donc aux préoccupations des philosophes des lumières qui condamnent l'absolutisme et ses dérives. Le personnage de Figaro incarne la recherche du bonheur propre à ce siècle : il est convaincu de son droit d'épouser Suzanne, celle qu'il aime.

Le drame

Il faut attendre Diderot, dramaturge et théoricien, pour sortir de la tradition classique qui oppose tragédie* et comédie. Il propose le drame bourgeois qui devait permettre aux spectateurs de s'identifier à des personnages qui porteraient sur scène les valeurs prônées par la bourgeoisie, notamment le travail et le talent. Le registre pathétique* devait prédominer.

Quelques traces de ce genre se retrouvent dans *Le mariage de Figaro*, chez Marceline qui découvre l'existence de son fils après avoir connu la souffrance et le rejet de la part de Bartholo. Il en va de même de l'acte V, scène 3 : quand Figaro s'interroge sur sa destinée dans son long monologue, le climat de la pièce s'assombrit. En donnant accès à la vie intérieure du personnage qui confie ses malheurs et ses souffrances, ce passage prend des accents lyriques. Dans un dernier tour de force, Beaumarchais ramène ensuite la pièce à la comédie, mais une certaine amertume pèse sur le dénouement.

Dans cette même optique de renouvellement, Beaumarchais prend aussi des libertés par rapport aux règles classiques. Il respecte en gros l'unité de temps, tout en étant conscient qu'il s'agit d'un défi pour une pièce aux multiples rebondissements : l'action en est

Libertinage

Au XVIIe siècle, libre pensée en matière de politique et de religion. Puis, au siècle suivant, le terme prend une connotation négative en qualifiant une manière de vivre particulièrement débauchée.

Tragédie

Pièce de théâtre présentant des personnages de haute naissance, s'exprimant dans un langage soutenu, propre à susciter la terreur ou à inspirer la pitié.

Pathétique

(Registre ou tonalité) : qui émeut fortement.

*: Cf. Glossaire

tellement rapide que Beaumarchais lui-même a intitulé sa pièce *La folle journée*.

En ce qui concerne l'unité de lieu, le dramaturge précise que l'action se passe dans le château d'Aguas-Frescas, près de la ville andalouse de Séville. Les événements ne sont toutefois pas concentrés dans l'espace abstrait que constitue le vestibule, lieu de rencontre des pièces classiques : l'action se déplace en fait dans la vaste résidence du Comte. La description détaillée des différents lieux du château contribue d'ailleurs au cachet réaliste de la pièce.

Quant à l'unité d'action, les embûches à l'union de Figaro avec Suzanne constituent autant d'épisodes secondaires qui donnent une impression d'enchevêtrement, et cela d'autant plus que s'y rajoute une intrigue qui se développe en parallèle, soit l'histoire de la Comtesse, délaissée par son mari, qui réprime ses sentiments pour un jeune homme. L'anecdote de Marceline qui découvre être la mère de celui qu'elle souhaitait épouser frôle toutefois l'invraisemblance.

La farce

Au XVIIIe siècle, certains aristocrates apprécient les parades, pièces toujours à la limite de la grivoiserie*, qu'ils font jouer dans leurs salons. Ces amusements remettent au goût du jour à la fois la farce héritée du Moyen Âge et la *commedia dell'arte* qui en est issue avec ses personnages stéréotypés. La farce est l'héritière de l'esprit des fabliaux*, dont elle conserve le réalisme poussé jusqu'à la grossièreté. Ce comique s'appuie sur des situations caricaturées à outrance : cocuage, tromperie, duperie, etc. Les personnages plutôt ingrats pratiquent le comique de geste en se donnant des gifles ou des soufflets comme ceux que reçoit Figaro de sa fiancée. D'autres éléments relèvent de cette tendance ; par exemple, les plaisanteries traditionnelles contre les médecins indifférents aux souffrances de leurs malades (acte I, scène 3),

Grivoiserie

Qui est d'une gaieté licencieuse, un peu hardie.

Fabliau

Petit récit en octosyllabes, plaisant ou édifiant, propre à la littérature des XIIIe et XIVe siècles.

* : *Cf.* Glossaire

les allusions aux couvents parisiens qui avaient mauvaise réputation (acte II, scène 19), la présentation du paysan ivrogne avec son franc-parler (acte II, scène 21).

La comédie-ballet

Dans la veine baroque, Beaumarchais choisit d'entremêler dans sa pièce d'autres expressions artistiques. Il introduit plusieurs chansons, notamment celle de Chérubin à l'acte II, scène 4. Il ajoute des intermèdes musicaux, de la danse et du chant à l'acte IV, scène 9, puis un air de vaudeville à l'acte IV, scène 10. Toute la trilogie imaginée par Beaumarchais, soit *Le barbier de Séville*, *Le mariage de Figaro* et *La mère coupable*, donnera naissance à des opéras créés par Mozart. *Le barbier de Séville* inspirera aussi Rossini* en 1816. De plus, *Le mariage de Figaro* évoque la peinture galante de l'époque, comme celle de Fragonard ou de Bouchard*. Quant à la scène 4 de l'acte II, elle rappelle la gravure de Van Loo*, *La conversation espagnole*. Dans cette pièce, les différentes expressions artistiques – peinture, danse, musique et théâtre – se côtoient donc harmonieusement.

Ainsi, Beaumarchais aura réussi à combiner dans sa pièce des registres variés :

- **le comique de situation** : le quiproquo* est le procédé principal du comique de situation, c'est-à-dire de ces moments où s'installe la confusion lorsqu'une personne est prise pour une autre. Dans *Le mariage de Figaro*, le comique du dernier acte repose sur la méprise du Comte qui prend sa femme pour Suzanne alors que cette dernière est prise pour la Comtesse par Figaro. Chérubin, de son côté, passe pour une fille grâce à un déguisement.

- **Le comique de mots** : on constate une prolifération des jeux de langage, notamment quand Figaro parle contre l'aristocratie (acte I, scène 2), quand il argumente avec le Comte pour lui montrer qu'il

Bouchard

Peintre français du XVIIIe siècle, qui peint des cabarets, des nus et des scènes orientalistes.

Van Loo

(1705-1765) : Charles André, dit Carle, peintre français. Louis XV en avait fait son peintre ; on lui doit entre autres *Le déjeuner sur l'herbe après la chasse*, *Les trois grâces*, *Neptune et Amymone*, *Le grand Turc donnant un concert à sa maîtresse*.

Quiproquo

Méprise, erreur qui fait prendre une chose, une personne pour une autre.

* : *Cf. Glossaire*

connaît l'anglais ou quand il décrit ce qu'est pour lui la politique (acte III, scène 5).

- **Le comique satirique :** le registre satirique se rapproche du registre polémique. Il est surtout utilisé dans les œuvres à vocation critique. Dans cette pièce de théâtre, Figaro attaque les nobles et critique la société du XVIIIe siècle en ayant souvent recours à l'ironie. Il dénonce les institutions établies et caricature la politique. Ce registre satirique et ironique est propre à l'esprit des lumières qui prône la liberté de penser et de critiquer.

Des personnages qui reflètent les tensions sociales

L'intérêt de la pièce repose sur l'alternance de la complicité et de l'opposition entre des personnages qui, faut-il le souligner, vivent dans le même espace sans être de même origine sociale. Les domestiques n'ont souvent que le choix de comploter pour arriver à leur but, puisque les maîtres qui les gardent à leur service ont le pouvoir de leur côté.

Toutefois, c'est Figaro qui incarne les idées nouvelles du Siècle des lumières. Beaumarchais en a fait son porte-parole et lui attribue des qualités qui sont les siennes, notamment son pragmatisme, sa débrouillardise et son esprit revendicateur. Il va même plus loin : tout le contenu du monologue intérieur renvoie à des événements de la vie de l'auteur, comme si, par la bouche de son personnage, Beaumarchais en profitait pour régler des comptes[2]. Le domestique s'élève

---

2. S'il s'est attaqué à la noblesse et à la justice dans cette « folle journée », c'est parce qu'il en a souffert personnellement : une forme de revanche. Il a d'ailleurs affirmé qu'il ne critiquait pas l'État, mais les abus de l'État. L'auteur ne remet pas en question l'autorité du Comte, mais ses écarts de conduite.

d'ailleurs ici au rang de rival du Comte et finit même par l'emporter sur ce dernier.

Les femmes bafouent en quelque sorte l'autorité masculine. Ce sont elles le plus souvent qui mènent le bal plutôt que leur conjoint; Suzanne, par exemple, démontre un grand raffinement dans cet art de la conspiration. Tout en étant la fiancée de Figaro, elle fait aussi preuve de solidarité féminine envers la Comtesse (et vice-versa). Alliées dans un même complot, les femmes semblent porter haut une part de la rébellion féminine: Marceline revendique, la Comtesse jongle avec l'idée de l'infidélité tout en se liguant avec les autres contre son mari. Au dénouement, le mariage du couple Figaro / Suzanne symbolise ainsi la victoire des plus démunis sur ceux qui, par tradition, leur sont supérieurs. Bien que la comédie ne semble pas un genre fait pour débattre des sujets qu'affectionnent les écrivains des lumières, tels que la politique, la religion, la liberté, il faut reconnaître que Beaumarchais a réussi le tour de force de les aborder dans une joie de vivre communicative qui donne tout son charme à la pièce.

Beaumarchais
en son temps

	Vie et œuvre de Beaumarchais	Événements politiques, sociaux et historiques	Événements culturels
1715		Mort de Louis XIV. →1723. Régence de Philippe II, duc d'Orléans.	
1719			Defoe, *Robinson Crusoé* (roman).
1721			Montesquieu, *Lettres persanes* (roman épistolaire).
1723		Début du règne de Louis XV. Début de cinquante années de croissance démographique et agricole et de développement industriel. Désir de libération des mœurs et de la pensée.	
1725			Apogée de la période baroque en musique avec les œuvres de Bach, Haendel, Vivaldi et Scarlatti.
1726			Swift, *Les voyages de Gulliver* (roman satirique).
1730			Marivaux, *Le jeu de l'amour et du hasard* (comédie).
1731			L'abbé Prévost, *Manon Lescaut* (roman).
1732	Naissance à Paris de Pierre-Augustin Caron.		

	Vie et œuvre de Beaumarchais	Événements politiques, sociaux et historiques	Événements culturels
1734			→1762. Développement de l'esprit critique dans les écrits des encyclopédistes. Voltaire, *Lettres philosophiques*. Rousseau, *Du contrat social* (essai).
1735			Essor de l'opéra français. Rameau, *Les Indes galantes* (opéra-ballet).
1742	Pensionnaire à Alfort.		
1744		Prise de Louisbourg. →1763. Période de rivalité franco-anglaise marquée par la perte de plusieurs colonies françaises aux mains des Anglais.	
1747			Voltaire, *Zadig* (roman).
1748			Montesquieu, *De l'esprit des lois* (essai).
1750			Parution du premier tome de l'*Encyclopédie*.
1752			Querelle des « Bouffons », opposant les tenants de la musique française à ceux de la musique italienne.
1753	Invente le procédé de l'échappement en horlogerie. Se fait connaître à la cour.		

	Vie et œuvre de Beaumarchais	Événements politiques, sociaux et historiques	Événements culturels
1755	Nommé « Contrôleur de la bouche du roi ».	Prise de l'Acadie et déportation des Acadiens, « Le grand dérangement ».	Rousseau, *Discours sur l'origine et les fondements de l'inégalité parmi les hommes* (essai).
1756	Premier mariage. Prend le nom de Caron de Beaumarchais.	→1763. Agitation politique ; création de l'impôt sur le revenu ; contestation de la monarchie. Début de la guerre de Sept ans.	→1763. Prolifération des cafés et des salons où l'on discute science, philosophie et littérature.
1757	Mort de sa femme.		Diderot, *Le fils naturel* (drame).
1759	Professeur de harpe des filles du roi.	Prise de Québec.	Début du classicisme en musique : Haydn fixe les règles de la symphonie classique. Voltaire, *Candide* (conte).
1760	S'associe à Pâris-Duverney. *Eugénie* (drame).	Prise de Montréal. Début de la révolution industrielle en Angleterre.	
1761	Nommé « Secrétaire du roi » et « Lieutenant-général des chasses ».		
1762			Rousseau, *Émile ou De l'éducation* (essai).
1763		Fin de la guerre de Sept ans et cession de la Nouvelle-France à l'Angleterre (traité de Paris).	

	Vie et œuvre de Beaumarchais	Événements politiques, sociaux et historiques	Événements culturels
1767	Représentation d'*Eugénie*. *Essai sur le genre dramatique sérieux* (ouvrage théorique). Second mariage.		
1770	*Les deux amis ou Le négociant de Lyon* (drame). Mort de sa deuxième femme. Procès contre le comte de La Blache.	Mort de Pâris-Duverney.	
1773	Est ruiné par la faute du conseiller Goezmann. Écrit quatre *Mémoires* contre ce dernier.		Diderot, *Jacques le fataliste et son maître* (roman).
1774	Agent secret au service de Louis XVI à Londres.	Mort de Louis XV. Règne de Louis XVI jusqu'en 1792.	Goethe, *Les souffrances du jeune Werther* (roman).
1775	Triomphe du *Barbier de Séville* à la Comédie-Française. Il organise des livraisons d'armes aux insurgés américains.		
1776		Déclaration d'indépendance américaine (4 juillet).	

	Vie et oeuvre de Beaumarchais	Événements politiques, sociaux et historiques	Événements culturels
1777	Fonde la Société des auteurs dramatiques.		
1780	Publication, à Kehl, Allemagne, des oeuvres de Voltaire.		
1781			→1790. Grands traités philosophiques de Kant : *Critique de la raison pure*, *Critique de la raison pratique*, *Critique de la faculté de juger*.
1782			Laclos, *Les liaisons dangereuses* (roman épistolaire).
1783		Traité de Versailles.	
1784	La pièce *Le mariage de Figaro* est jouée à la Comédie-Française.		Mort de Diderot.
1785			Nouvelle école française de peinture : oeuvres de David et de Gros. Apogée des peintres portraitistes et paysagistes anglais : Reynolds, Gainsborough.
1786	Épouse Marie-Thérèse de Willermaulaz, qui lui survivra.		→1787. Période des grands opéras de Mozart : *Les noces de Figaro*. →1787. Chénier, *Bucoliques* (poésie).

	Vie et œuvre de Beaumarchais	Événements politiques, sociaux et historiques	Événements culturels
1787	*Tarare* (opéra), sur une musique de Salieri.		Mozart, *Don Giovanni* (opéra).
1789		Washington élu président des États-Unis. Prise de la Bastille : début de la Révolution française.	Lavoisier, *Traité élémentaire de chimie*. Loi de conservation de la masse. Début de la rédaction des *Mémoires* de Casanova.
1789		Première constitution américaine.	
1792	*La mère coupable* (drame). L'affaire des fusils de Hollande. S'exile.	Massacres de septembre.	
1793		Exécution de Louis XVI et de Marie-Antoinette.	
1794		Exécution de Danton, Desmoulins, Robespierre et Saint-Juste.	
1795	Retour en France après avoir fui à Londres pour échapper aux massacres de septembre.		
1799	Meurt à Paris le 18 mai.	Coup d'État de Napoléon Ier. Fin de la Révolution.	

En 2002, le Ballet-théâtre atlantique du Canada présentait, en première mondiale, *Figaro*, une chorégraphie de Igor Dobrovolskiy, sur la musique de Wolfgang Amadeus Mozart.

Épître dédicatoire[1]

aux personnes trompées sur ma pièce et qui n'ont pas voulu la voir.

Ô vous que je ne nommerai point! Cœurs généreux, esprits justes, à qui l'on a donné des préventions[2] contre un ouvrage réfléchi, beaucoup plus gai qu'il n'est frivole[3]; soit que vous l'acceptiez ou non, je vous en fais l'hommage, et c'est tromper l'envie dans une de ses mesures. Si le hasard vous la fait lire, il la trompera dans une autre, en vous montrant quelle confiance est due à tant de rapport qu'on vous fait!

Un objet de pur agrément[4] peut s'élever encore à l'honneur d'un plus grand mérite: c'est de vous rappeler cette vérité de tous les temps, qu'on connaît mal les hommes et les ouvrages quand on les juge sur la foi d'autrui; que les personnes, surtout dont l'opinion est d'un grand poids, s'exposent à glacer sans le vouloir ce qu'il fallait peut-être encourager, lorsqu'elles

notes ....

1. Épître dédicatoire: dédicace.
Traditionnellement, les auteurs dédiaient leurs œuvres à de riches protecteurs. Beaumarchais marque ici son indépendance face au pouvoir.

2. préventions: mises en garde.
3. frivole: superficiel.
4. agrément: ce qui est destiné à faire plaisir.

négligent de prendre pour base de leurs jugements le seul conseil qui soit bien pur : celui de leurs propres lumières. Ma résignation égale mon profond respect.

L'Auteur.

A NOS SEIGNEURS
DE PARLEMENT
LES CHAMBRES ASSEMBLÉES.

UPPLIE humblement, Pierre-Augustin Caron de Beaumarchais, Ecuyer, Conseiller Secretaire du Roi, & Lieutenant-Général des Chasses au Bailliage & Capitainerie de la Varenne du Louvre, Grande Vennerie & Fauconnerie de France.

DISANT, que M. Goezmann l'a dénoncé à la Cour, comme ayant tenté de gagner son suffrage, par des présens faits à sa femme, & de l'avoir ensuite diffamé par des propos offensans & calomnieux.

Ces délits ont paru graves, la Cour a ordonné

A

« L'affaire Goezmann ».

Préface

En écrivant cette préface[1], mon but n'est pas de rechercher oiseusement[2] si j'ai mis au théâtre une pièce bonne ou mauvaise – il n'est plus temps pour moi – mais d'examiner scrupuleusement, et je le dois toujours, si j'ai fait une œuvre blâmable.

Personne n'étant tenu de faire une comédie qui ressemble aux autres, si je me suis écarté d'un chemin trop battu, pour des raisons qui m'ont paru solides, ira-t-on me juger, comme l'ont fait MM. tels, sur des règles qui ne sont pas les miennes ? imprimer puérilement que je reporte l'art à son enfance, parce que j'entreprends de frayer un nouveau sentier à cet art dont la loi première, et peut-être la seule, est d'amuser en instruisant ? Mais ce n'est pas de cela qu'il s'agit.

notes
....

1. préface : cette préface fut rédigée pour la publication de la pièce en 1785.

2. oiseusement : inutilement.

45

Il y a souvent très loin du mal que l'on dit d'un ouvrage à celui qu'on en pense. Le trait qui nous poursuit, le mot qui importune reste enseveli dans le cœur, pendant que la bouche se venge en blâmant presque tout le reste. De sorte qu'on peut regarder comme un point établi au théâtre, qu'en fait de reproche à l'auteur, ce qui nous affecte le plus est ce dont on parle le moins.

Il est peut-être utile de dévoiler aux yeux de tous ce double aspect des comédies, et j'aurai fait encore un bon usage de la mienne, si je parviens, en la scrutant, à fixer l'opinion publique sur ce qu'on doit entendre par ces mots : Qu'est-ce que LA DÉCENCE THÉÂTRALE ?

À force de nous montrer délicats, fins connaisseurs, et d'affecter, comme j'ai dit autre part[1], l'hypocrisie de la décence[2] auprès du relâchement des mœurs, nous devenons des êtres nuls, incapables de s'amuser et de juger de ce qui leur convient : faut-il le dire enfin ? des bégueules[3] rassasiées qui ne savent plus ce qu'elles veulent, ni ce qu'elles doivent aimer ou rejeter. Déjà ces mots si rebattus, *bon ton, bonne compagnie*, toujours ajustés au niveau de chaque insipide coterie[4], et dont la latitude[5] est si grande qu'on ne sait où ils commencent et finissent, ont détruit la franche et vraie gaieté qui distinguait de tout autre le comique de toute nation.

Ajoutez-y le pédantesque[6] abus de ces autres grands mots, *décence et bonnes mœurs*, qui donnent un air si important, si supérieur, que nos jugeurs de comédies seraient désolés de n'avoir pas à les prononcer sur toutes les pièces de théâtre, et vous connaîtrez à

notes...

1. autre part : dans la *Lettre modérée sur la chute et la critique du Barbier de Séville.*
2. affecter [...] l'hypocrisie de la décence : nous montrer faussement vertueux.
3. bégueules : personnes qui témoignent d'une pudeur excessive et fausse.

4. coterie : petit groupe de personnes qui tentent de défendre leurs intérêts.
5. latitude : liberté.
6. pédantesque : prétentieux.

peu près ce qui garrotte[1] le génie, intimide tous les auteurs, et porte un coup mortel à la vigueur de l'intrigue, sans laquelle il n'y a pourtant que du bel esprit à la glace[2] et des comédies de quatre jours.

Enfin, pour dernier mal, tous les états de la société sont parvenus à se soustraire à la censure dramatique : on ne pourrait mettre au théâtre *Les Plaideurs* de Racine, sans entendre aujourd'hui les Dandins et les Brid'oisons[3], même des gens plus éclairés, s'écrier qu'il n'y a plus ni mœurs, ni respect pour les magistrats.

On ne ferait point le *Turcaret*[4], sans avoir à l'instant sur les bras fermes, sous-fermes, traites et gabelles, droits réunis, tailles, taillons[5], le trop-plein, le trop-bu, tous les impositeurs royaux. Il est vrai qu'aujourd'hui *Turcaret* n'a plus de modèles. On l'offrirait sous d'autres traits, l'obstacle resterait le même.

On ne jouerait point *les fâcheux, les marquis, les emprunteurs* de Molière[6], sans révolter à la fois la haute, la moyenne, la moderne et l'antique noblesse. Ses *Femmes savantes* irriteraient nos féminins bureaux d'esprit[7]. Mais quel calculateur peut évaluer la force et la longueur du levier qu'il faudrait, de nos jours, pour élever jusqu'au théâtre l'œuvre sublime du *Tartuffe* ? Aussi l'auteur qui se compromet avec le public *pour l'amuser ou pour l'instruire*, au lieu d'intriguer à son choix son ouvrage, est-il

notes

1. **garrotte :** étrangle.
2. **du bel esprit à la glace :** de l'humour affecté.
3. **les Dandins et les Brid'oisons :** Dandin est un juge ridicule inventé par Rabelais et repris par La Fontaine et Racine. Brid'oison rappelle le juge Bridoye de Rabelais et apparaît dans *Le mariage de Figaro*.
4. **Turcaret :** pièce de Lesage (1709). Le héros éponyme est un financier particulièrement grossier.

5. **bras fermes, [...] taillons :** nombreux impôts de l'Ancien Régime. Les personnes chargées de collecter ces impôts, les fermiers généraux, s'enrichissaient souvent de façon malhonnête.
6. **les emprunteurs de Molière :** personnages du type de Dorante – un parasite – dans *Le bourgeois gentilhomme*.
7. **féminins bureaux d'esprit :** les salons littéraires, fort prisés au XVIIIe siècle, où l'on fait assaut de bons mots. Ce sont des femmes qui tiennent ces salons.

obligé de tourniller[1] dans des incidents impossibles, de persifler au lieu de rire, et de prendre ses modèles hors de la société, crainte[2] de se trouver mille ennemis, dont il ne connaissait aucun en composant son triste drame.

J'ai donc réfléchi que, si quelque homme courageux ne secouait pas toute cette poussière, bientôt l'ennui des pièces françaises porterait la nation au frivole opéra-comique[3], et plus loin encore, aux boulevards, à ce ramas[4] infect de tréteaux[5] élevés à notre honte, où la décente liberté, bannie du théâtre français, se change en une licence effrénée[6]; où la jeunesse va se nourrir de grossières inepties, et perdre, avec ses mœurs, le goût de la décence et des chefs-d'œuvre de nos maîtres. J'ai tenté d'être cet homme; et si je n'ai pas mis plus de talent à mes ouvrages, au moins mon intention s'est-elle manifestée dans tous.

J'ai pensé, je pense encore, qu'on n'obtient ni grand pathétique, ni profonde moralité, ni bon et vrai comique au théâtre, sans des situations fortes, et qui naissent toujours d'une disconvenance sociale, dans le sujet qu'on veut traiter. L'auteur tragique, hardi dans ses moyens, ose admettre le crime atroce : les conspirations, l'usurpation du trône, le meurtre, l'empoisonnement, l'inceste dans *Œdipe*[7] et *Phèdre*[8]; le fratricide dans *Vendôme*[9]; le parricide dans *Mahomet*; le régicide dans *Macbeth*[10], etc., etc. La comédie, moins audacieuse, n'excède pas les disconvenances[11], parce que ses tableaux sont tirés de nos mœurs, ses sujets de la société.

notes

1. **tourniller :** tournicoter (néologisme).
2. **crainte :** par crainte.
3. **opéra-comique :** pièce qui mêle théâtre et chansons.
4. **ramas :** ramassis.
5. **tréteaux :** foires de plein air, où l'on joue des farces. Beaumarchais est ici ironique.
6. **licence effrénée :** débauche acharnée.
7. **Œdipe :** tragédie de Voltaire (1718), ainsi que *Mahomet* (1742).
8. **Phèdre :** tragédie de Racine (1677).
9. **Vendôme :** personnage de Voltaire dans sa tragédie *Adélaïde du Guesclin* (1734).
10. **Macbeth :** tragédie de Shakespeare (1564-1616) jouée en France en 1784.
11. **n'excède pas les disconvenances :** n'exagère pas les invraisemblances.

Mais comment frapper sur l'avarice, à moins de mettre en scène un méprisable avare ? démasquer l'hypocrisie, sans montrer, comme Orgon, dans le Tartuffe, un abominable hypocrite, *épousant sa fille et convoitant sa femme* ? un homme à bonnes fortunes[1], sans le faire parcourir un cercle entier de femmes galantes ? un joueur effréné, sans l'envelopper de fripons, s'il ne l'est pas déjà lui-même ?

Tous ces gens-là sont loin d'être vertueux ; l'auteur ne les donne pas pour tels : il n'est le patron d'aucun d'eux, il est le peintre de leurs vices. Et parce que le lion est féroce, le loup vorace et glouton, le renard rusé, cauteleux[2], la fable est-elle sans moralité ? Quand l'auteur la dirige contre un sot que la louange enivre, il fait choir du bec du corbeau le fromage dans la gueule du renard, sa moralité est remplie ; s'il la tournait contre le bas flatteur, il finirait son apologue[3] ainsi : *Le renard s'en saisit, le dévore ; mais le fromage était empoisonné*. La fable est une comédie légère, et toute comédie n'est qu'un long apologue : leur différence est que dans la fable les animaux ont de l'esprit, et que dans notre comédie les hommes sont souvent des bêtes, et, qui pis est, des bêtes méchantes.

Ainsi, lorsque Molière, qui fut si tourmenté par les sots, donne à l'avare un fils prodigue[4] et vicieux qui lui vole sa cassette et l'injurie en face, est-ce des vertus ou des vices qu'il tire sa moralité ? que lui importent ces fantômes ? c'est vous qu'il entend corriger. Il est vrai que les afficheurs et balayeurs[5] littéraires de son temps ne manquèrent pas d'apprendre au bon public combien

notes

1. **un homme à bonnes fortunes :** un séducteur qui collectionne les aventures amoureuses.
2. **cauteleux :** synonyme de *rusé*.
3. **apologue :** fable présentant une vérité morale.
4. **prodigue :** dépensier.
5. **afficheurs et balayeurs :** termes péjoratifs pour désigner les critiques littéraires.

tout cela était horrible ! Il est aussi prouvé que des envieux très importants, ou des importants très envieux, se déchaînèrent contre lui. Voyez le sévère Boileau, dans son épître au grand Racine[1], venger son ami qui n'est plus, en rappelant ainsi les faits :

> *L'Ignorance et l'Erreur, à ses naissantes pièces,*
> *En habits de marquis, en robes de comtesses,*
> *Venaient pour diffamer son chef-d'œuvre nouveau,*
> *Et secouaient la tête à l'endroit le plus beau.*
> *Le commandeur voulait la scène plus exacte ;*
> *Le vicomte, indigné, sortait au second acte :*
> *L'un, défenseur zélé des dévots[2] mis en jeu,*
> *Pour prix de ses bons mots le condamnait au feu ;*
> *L'autre, fougueux marquis, lui déclarant la guerre,*
> *Voulait venger la Cour immolée au parterre[3].*

On voit même dans un placet[4] de Molière à Louis XIV, qui fut si grand en protégeant les arts, et sans le goût éclairé duquel notre théâtre n'aurait pas un seul chef-d'œuvre de Molière ; on voit ce philosophe auteur se plaindre amèrement au roi que, pour avoir démasqué les hypocrites, ils imprimaient partout qu'il était *un libertin, un impie, un athée, un démon vêtu de chair, habillé en homme* ; et cela s'imprimait avec APPROBATION ET PRIVILÈGE[5] de ce roi qui le protégeait : rien là-dessus n'est empiré.

Mais, parce que les personnages d'une pièce s'y montrent sous des mœurs vicieuses, faut-il les bannir de la scène? Que poursuivrait-on au théâtre? les travers et les ridicules? Cela vaut bien la peine d'écrire! Ils sont chez nous comme les modes: on ne s'en corrige point, on en change.

Les vices, les abus, voilà ce qui ne change point, mais se déguise en mille formes sous le masque des mœurs dominantes: leur arracher ce masque et les montrer à découvert, telle est la noble tâche de l'homme qui se voue au théâtre. Soit qu'il moralise en riant, soit qu'il pleure en moralisant, Héraclite ou Démocrite[1], il n'a pas un autre devoir. Malheur à lui, s'il s'en écarte! On ne peut corriger les hommes qu'en les faisant voir tels qu'ils sont. La comédie utile et véridique n'est point un éloge menteur, un vain discours d'académie.

Mais gardons-nous bien de confondre cette critique générale, un des plus nobles buts de l'art, avec la satire odieuse et personnelle: l'avantage de la première est de corriger sans blesser. Faites prononcer au théâtre, par l'homme juste, aigri de l'horrible abus des bienfaits, *tous les hommes sont des ingrats*: quoique chacun soit bien près de penser comme lui, personne ne s'en offensera. Ne pouvant y avoir un ingrat sans qu'il existe un bienfaiteur, ce reproche même établit une balance égale entre les bons et les mauvais cœurs, on le sent et cela console. Que si l'humoriste[2] répond *qu'un bienfaiteur fait cent ingrats*, on répliquera justement *qu'il n'y a peut-être pas un ingrat qui n'ait été plusieurs fois bienfaiteur*: et cela console encore. Et c'est ainsi qu'en

---

notes

1. Héraclite ou Démocrite: Héraclite (v. 550-v. 480 av. J.-C.) et Démocrite (v. 460-v. 370 av. J.-C.) étaient des philosophes grecs. Le premier passait pour pessimiste et le second pour optimiste.

2. humoriste: contraire de l'homme juste précédemment cité. Homme qui a de l'humeur, qui est sombre et amer.

généralisant, la critique la plus amère porte du fruit sans nous blesser, quand la satire personnelle, aussi stérile que funeste, blesse toujours et ne produit jamais. Je hais partout cette dernière, et je la crois un si punissable abus, que j'ai plusieurs fois d'office invoqué la vigilance du magistrat pour empêcher que le théâtre ne devînt une arène de gladiateurs, où le puissant se crût en droit de faire exercer ses vengeances par les plumes vénales[1], et malheureusement trop communes, qui mettent leur bassesse à l'enchère.

N'ont-ils donc pas assez, ces Grands, des mille et un feuillistes[2], faiseurs de bulletins, afficheurs, pour y trier les plus mauvais, en choisir un bien lâche, et dénigrer qui les offusque? On tolère un si léger mal, parce qu'il est sans conséquence, et que la vermine éphémère démange un instant et périt; mais le théâtre est un géant qui blesse à mort tout ce qu'il frappe. On doit réserver ses grands coups pour les abus et pour les maux publics.

Ce n'est donc ni le vice ni les incidents qu'il amène, qui font l'indécence théâtrale; mais le défaut de leçons et de moralité. Si l'auteur ou faible ou timide, n'ose en tirer de son sujet voilà ce qui rend sa pièce équivoque ou vicieuse. Lorsque je mis *Eugénie*[3] au théâtre (et il faut bien que je me cite, puisque c'est toujours moi qu'on attaque), lorsque je mis *Eugénie* au théâtre, tous nos jurés-crieurs à la décence[4] jetaient des flammes dans les foyers sur ce que j'avais osé montrer un seigneur libertin, habillant ses valets en prêtres, et feignant d'épouser une jeune personne qui paraît enceinte au théâtre sans avoir été mariée.

notes

1. plumes vénales: écrivains payés par le puissant et uniquement motivés par l'argent.
2. feuillistes: journalistes payés à la feuille (néologisme péjoratif).

3. *Eugénie*: drame de Beaumarchais (1767).
4. jurés-crieurs à la décence: périphrase pour désigner les censeurs, qui proclament solennellement ce qui est décent.

Malgré leurs cris, la pièce a été jugée, sinon le meilleur, au moins le plus moral des drames, constamment jouée sur tous les théâtres, et traduite dans toutes les langues. Les bons esprits ont vu que la moralité, que l'intérêt y naissaient entièrement de l'abus qu'un homme puissant et vicieux fait de son nom, de son crédit pour tourmenter une faible fille sans appui, trompée, vertueuse et délaissée. Ainsi tout ce que l'ouvrage a d'utile et de bon naît du courage qu'eut l'auteur d'oser porter la disconvenance sociale au plus haut point de liberté.

Depuis, j'ai fait *Les Deux Amis*[1], pièce dans laquelle un père avoue à sa prétendue nièce qu'elle est sa fille illégitime. Ce drame est aussi très moral, parce qu'à travers les sacrifices de la plus parfaite amitié, l'auteur s'attache à y montrer les devoirs qu'impose la nature sur les fruits d'un ancien amour, que la rigoureuse dureté des convenances sociales, ou plutôt leur abus, laisse trop souvent sans appui.

Entre autres critiques de la pièce, j'entendis dans une loge, auprès de celle que j'occupais, un jeune *important* de la Cour qui disait gaiement à des dames : « L'auteur, sans doute, est un garçon fripier qui ne voit rien de plus élevé que des commis des Fermes[2] et des marchands d'étoffes ; et c'est au fond d'un magasin qu'il va chercher les nobles amis qu'il traduit à la scène française. – Hélas ! monsieur, lui dis-je en m'avançant, il a fallu du moins les prendre où il n'est pas impossible de les supposer. Vous ririez bien plus de l'auteur s'il eût tiré deux vrais amis de l'Œil-de-bœuf[3] ou des carrosses ? Il faut un peu de vraisemblance, même dans les actes vertueux. »

notes

1. *Les Deux Amis* : drame de Beaumarchais (1770).
2. commis des Fermes : receveurs des impôts.

3. l'Œil-de-bœuf : salle à Versailles dans laquelle les courtisans attendent le lever du roi.

Me livrant à mon gai caractère, j'ai depuis tenté, dans *Le Barbier de Séville*, de ramener au théâtre l'ancienne et franche gaieté, en l'alliant avec le ton léger de notre plaisanterie actuelle; mais comme cela même était une espèce de nouveauté, la pièce fut vivement poursuivie. Il semblait que j'eusse ébranlé l'État; l'excès des précautions qu'on prit et des cris qu'on fit contre moi décelait surtout la frayeur que certains vicieux de ce temps avaient de s'y voir démasqués. La pièce fut censurée quatre fois, cartonnée[1] trois fois sur l'affiche à l'instant d'être jouée, dénoncée même au Parlement d'alors, et moi, frappé de ce tumulte, je persistais à demander que le public restât le juge de ce que j'avais destiné à l'amusement du public.

Je l'obtins au bout de trois ans. Après les clameurs, les éloges, et chacun me disait tout bas: «Faites-nous donc des pièces de ce genre, puisqu'il n'y a plus que vous qui osiez rire en face.»

Un auteur désolé par la cabale[2] et les criards, mais qui voit sa pièce marcher, reprend courage; et c'est ce que j'ai fait. Feu[3] M. le prince de Conti[4], de patriotique mémoire (car, en frappant l'air de son nom, l'on sent vibrer le vieux mot *patrie*), feu M. le prince de Conti, donc, me porta le défi public de mettre au théâtre ma préface du *Barbier*, plus gaie, disait-il, que la pièce, et d'y montrer la famille de Figaro, que j'indiquais dans cette préface. «Monseigneur, lui répondis-je, si je mettais une seconde fois ce caractère sur la scène, comme je le montrerais plus âgé, qu'il en saurait quelque peu davantage, ce serait bien un autre bruit; et qui sait s'il verrait le jour?» Cependant, par respect, j'acceptai le défi; je composai cette *Folle Journée*, qui cause

---

notes

1. **cartonnée**: annulée par un carton hâtivement posé sur l'affiche.
2. **cabale**: intrigue, menées secrètes.
3. **Feu**: défunt depuis peu.

4. **M. le prince de Conti**: Conti (1717-1776) est le beau-fils du régent Philippe d'Orléans, et le protecteur de Beaumarchais.

aujourd'hui la rumeur. Il daigna la voir le premier. C'était un homme d'un grand caractère, un prince auguste, un esprit noble et fier : le dirai-je ? il en fut content.

Mais quel piège, hélas ! j'ai tendu au jugement de nos critiques en appelant ma comédie du vain nom de *Folle Journée* ! Mon objet était bien de lui ôter quelque importance ; mais je ne savais pas encore à quel point un changement d'annonce peut égarer tous les esprits. En lui laissant son véritable titre, on eût lu *L'Époux suborneur*[1]. C'était pour eux une autre piste, on me courait[2] différemment. Mais ce nom de *Folle Journée* les a mis à cent lieues de moi : ils n'ont plus rien vu dans l'ouvrage que ce qui n'y sera jamais ; et cette remarque un peu sévère sur la facilité de prendre le change a plus d'étendue qu'on ne croit.

Au lieu du nom de *George Dandin*[3], si Molière eût appelé son drame *La Sottise des alliances*, il eût porté bien plus de fruit ; si Regnard eût nommé son *Légataire*[4], *La Punition du célibat*, la pièce nous eût fait frémir. Ce à quoi il ne songea pas, je l'ai fait avec réflexion. Mais qu'on ferait un beau chapitre sur tous les jugements des hommes et la morale du théâtre, et qu'on pourrait intituler : *De l'influence de l'affiche* !

Quoi qu'il en soit, *La Folle Journée* resta cinq ans au portefeuille[5] ; les comédiens ont su que je l'avais, ils me l'ont enfin arrachée. S'ils ont bien ou mal fait pour eux, c'est ce qu'on a pu voir depuis. Soit que la difficulté de la rendre excitât leur émulation[6], soit qu'ils sentissent avec le public que pour lui plaire en comédie il fallait de nouveaux efforts, jamais pièce aussi difficile n'a été jouée avec autant d'ensemble, et si l'auteur (comme

notes

1. *suborneur* : séducteur qui trompe les femmes avec de fausses promesses.
2. *on me courait* : on me poursuivait.
3. *George Dandin* : comédie de Molière (1668).
4. *Légataire* : *Le légataire universel*, comédie de Regnard (1708).

5. *portefeuille* : enveloppe de carton, de cuir, dans laquelle on met des papiers. Cette métaphore indique que la pièce n'était ni montée ni jouée.
6. *émulation* : sentiment qui porte à égaler ou à surpasser quelqu'un.

on le dit) est resté au-dessous de lui-même, il n'y a pas un seul acteur dont cet ouvrage n'ait établi, augmenté ou confirmé la réputation. Mais revenons à sa lecture, à l'adoption des comédiens.

Sur l'éloge outré qu'ils en firent, toutes les sociétés voulurent le connaître, et dès lors il fallut me faire des querelles de toute espèce, ou céder aux instances universelles. Dès lors aussi les grands ennemis de l'auteur ne manquèrent pas de répandre à la Cour qu'il blessait dans cet ouvrage, d'ailleurs *un tissu de bêtises*, la religion, le gouvernement, tous les états de la société, les bonnes mœurs, et qu'enfin la vertu y était opprimée et le vice triomphant, *comme de raison*, ajoutait-on. Si les graves messieurs qui l'ont tant répété me font l'honneur de lire cette préface, ils y verront au moins que j'ai cité bien juste ; et la bourgeoise intégrité que je mets à mes citations n'en fera que mieux ressortir la noble infidélité des leurs.

Ainsi, dans *Le Barbier de Séville*, je n'avais qu'ébranlé l'État ; dans ce nouvel essai, plus infâme et plus séditieux[1], je le renversais de fond en comble. Il n'y avait plus rien de sacré, si l'on permettait cet ouvrage. On abusait l'autorité par les plus insidieux rapports ; on cabalait[2] auprès des corps puissants ; on alarmait les dames timorées[3] ; on me faisait des ennemis sur le prie-Dieu des oratoires[4] ; et moi, selon les hommes et les lieux, je repoussais la basse intrigue par mon excessive patience, par la roideur[5] de mon respect, l'obstination de ma docilité ; par la raison, quand on voulait l'entendre.

Ce combat a duré quatre ans[6]. Ajoutez-les aux cinq du portefeuille : que reste-t-il des allusions qu'on s'efforce à voir dans

notes

1. séditieux : en révolte contre une autorité établie.
2. cabalait : menait des intrigues.
3. timorées : craintives.

4. oratoires : chapelles.
5. roideur : raideur.
6. quatre ans : jusqu'en 1784.

l'ouvrage? Hélas! quand il fut composé, tout ce qui fleurit aujourd'hui n'avait pas même encore germé : c'était tout un autre univers.

Pendant ces quatre ans de débat, je ne demandais qu'un censeur ; on m'en accorda cinq ou six. Que virent-ils dans l'ouvrage, objet d'un tel déchaînement? La plus badine[1] des intrigues. Un grand seigneur espagnol, amoureux d'une jeune fille qu'il veut séduire, et les efforts que cette fiancée, celui qu'elle doit épouser, et la femme du seigneur réunissent pour faire échouer dans son dessein un maître absolu, que son rang, sa fortune et sa prodigalité[2] rendent tout-puissant pour l'accomplir. Voilà tout, rien de plus. La pièce est sous vos yeux.

D'où naissaient donc ces cris perçants? De ce qu'au lieu de poursuivre un seul caractère vicieux, comme le joueur, l'ambitieux, l'avare, ou l'hypocrite, ce qui ne lui eût mis sur les bras qu'une seule classe d'ennemis, l'auteur a profité d'une composition légère, ou plutôt a formé son plan de façon à y faire entrer la critique d'une foule d'abus qui désolent la société. Mais comme ce n'est pas là ce qui gâte un ouvrage aux yeux du censeur éclairé, tous, en l'approuvant, l'ont réclamé pour le théâtre. Il a donc fallu l'y souffrir : alors les grands du monde ont vu jouer avec scandale

> *Cette pièce où l'on peint un insolent valet*
> *Disputant sans pudeur son épouse à son maître.*
>
> M. GUDIN[3].

Oh! que j'ai de regret de n'avoir pas fait de ce sujet moral une tragédie bien sanguinaire! Mettant un poignard à la main de l'époux outragé, que je n'aurais pas nommé Figaro, dans sa

---

notes

1. **badine** : légère.
2. **prodigalité** : dépenses excessives.

3. **M. Gudin** : Gudin de La Bresnellerie, ami de Beaumarchais.

jalouse fureur je lui aurais fait noblement poignarder le Puissant vicieux; et comme il aurait vengé son honneur dans des vers carrés, bien ronflants, et que mon jaloux, tout au moins général d'armée, aurait eu pour rival quelque tyran bien horrible et régnant au plus mal sur un peuple désolé, tout cela, très loin de nos mœurs, n'aurait, je crois, blessé personne, on eût crié *bravo! ouvrage bien moral!* Nous étions sauvés, moi et mon Figaro sauvage. Mais ne voulant qu'amuser nos Français et non faire ruisseler les larmes de leurs épouses, de mon coupable amant j'ai fait un jeune seigneur de ce temps-là, prodigue, assez galant, même un peu libertin, à peu près comme les autres seigneurs de ce temps-là. Mais qu'oserait-on dire au théâtre d'un seigneur, sans les offenser tous, sinon de lui reprocher son trop de galanterie? N'est-ce pas là le défaut le moins contesté par eux-mêmes? J'en vois beaucoup, d'ici, rougir modestement (et c'est un noble effort) en convenant que j'ai raison.

Voulant donc faire le mien coupable, j'ai eu le respect généreux de ne lui prêter aucun des vices du peuple. Direz-vous que je ne le pouvais pas, que c'eût été blesser toutes les vraisemblances? Concluez donc en faveur de ma pièce, puisque enfin je ne l'ai pas fait.

Le défaut même dont je l'accuse n'aurait produit aucun mouvement comique, si je ne lui avais gaiement opposé l'homme le plus dégourdi de sa nation, le *véritable* Figaro qui, tout en défendant Suzanne, sa propriété, se moque des projets de son maître, et s'indigne très plaisamment qu'il ose jouter[1] de ruse avec lui, maître passé dans ce genre d'escrime.

Ainsi, d'une lutte assez vive entre l'abus de la puissance, l'oubli des principes, la prodigalité, l'occasion, tout ce que la séduction a de plus entraînant, et le feu, l'esprit, les ressources que l'infériorité

note

| **1. jouter:** rivaliser.

piquée au jeu peut opposer à cette attaque, il naît dans ma pièce un jeu plaisant d'intrigue, où l'*époux suborneur*, contrarié, lassé, harassé, toujours arrêté dans ses vues, est obligé, trois fois dans cette journée, de tomber aux pieds de sa femme, qui, bonne, indulgente et sensible, finit par lui pardonner : c'est ce qu'elles font toujours. Qu'a donc cette moralité de blâmable, messieurs ?

La trouvez-vous un peu badine pour le ton grave que je prends ? Accueillez-en une plus sévère qui blesse vos yeux dans l'ouvrage, quoique vous ne l'y cherchiez pas : c'est qu'un seigneur assez vicieux pour vouloir prostituer à ses caprices tout ce qui lui est subordonné, pour se jouer, dans ses domaines, de la pudicité[1] de toutes ses jeunes vassales, doit finir, comme celui-ci, par être la risée de ses valets. Et c'est ce que l'auteur a très fortement prononcé, lorsqu'en fureur, au cinquième acte, Almaviva, croyant confondre une femme infidèle, montre à son jardinier un cabinet, en lui criant : *Entres-y, toi, Antonio ; conduis devant son juge l'infâme qui m'a déshonoré ;* et que celui-ci lui répond : *Il y a, parguenne, une bonne Providence ! Vous en avez tant fait dans le pays, qu'il faut bien aussi qu'à votre tour*[2] *!...*

Cette profonde moralité se fait sentir dans tout l'ouvrage ; et s'il convenait à l'auteur de démontrer aux adversaires qu'à travers sa forte leçon il a porté la considération pour la dignité du coupable plus loin qu'on ne devait l'attendre de la fermeté de son pinceau, je leur ferais remarquer que, croisé dans tous ses projets, le comte Almaviva se voit toujours humilié, sans être jamais avili.

En effet, si la Comtesse usait de ruse pour aveugler sa jalousie dans le dessein de le trahir, devenue coupable elle-même, elle ne pourrait mettre à ses pieds son époux sans le dégrader à nos yeux. La vicieuse intention de l'épouse brisant un lien respecté, l'on reprocherait justement à l'auteur d'avoir tracé des mœurs

notes

1. **pudicité :** pudeur.

2. ***Entres-y [...] à votre tour !* :** acte V, scène 14.

blâmables : car nos jugements sur les mœurs se rapportent toujours aux femmes ; on n'estime pas assez les hommes pour tant exiger d'eux sur ce point délicat. Mais loin qu'elle ait ce vil projet, ce qu'il y a de mieux établi dans l'ouvrage est que nul ne veut faire une tromperie au Comte, mais seulement l'empêcher d'en faire à tout le monde. C'est la pureté des motifs qui sauve ici les moyens du reproche ; et de cela seul que la Comtesse ne veut que ramener son mari, toutes les confusions qu'il éprouve sont certainement très morales, aucune n'est avilissante.

Pour que cette vérité vous frappe davantage, l'auteur oppose à ce mari peu délicat, la plus vertueuse des femmes par goût et par principes.

Abandonnée d'un époux trop aimé, quand l'expose-t-on à vos regards ? Dans le moment critique où sa bienveillance pour un aimable enfant, son filleul, peut devenir un goût dangereux, si elle permet au ressentiment qui l'appuie de prendre trop d'empire[1] sur elle. C'est pour mieux faire ressortir l'amour vrai du devoir, que l'auteur la met un moment aux prises avec un goût naissant qui le combat. Oh ! combien on s'est étayé de[2] ce léger mouvement dramatique pour nous accuser d'indécence ! On accorde à la tragédie que toutes les reines, les princesses, aient des passions bien allumées qu'elles combattent plus ou moins ; et l'on ne souffre pas que, dans la comédie, une femme ordinaire puisse lutter contre la moindre faiblesse ! Ô grande *influence de l'affiche* ! jugement sûr et conséquent ! Avec la différence du genre, on blâme ici ce qu'on approuvait là. Et cependant, en ces deux cas, c'est toujours le même principe : point de vertu sans sacrifice.

notes

| **1. empire** : influence, autorité morale. | **2. étayé de** : appuyé sur.

J'ose en appeler à vous, jeunes infortunées que votre malheur attache à des Almaviva! Distingueriez-vous toujours votre vertu de vos chagrins, si quelque intérêt[1] importun, tendant trop à les dissiper, ne vous avertissait enfin qu'il est temps de combattre pour elle? Le chagrin de perdre un mari n'est pas ici ce qui nous touche, un regret aussi personnel est trop loin d'être une vertu. Ce qui nous plaît dans la Comtesse, c'est de la voir lutter franchement contre un goût naissant qu'elle blâme, et des ressentiments légitimes. Les efforts qu'elle fait alors pour ramener son infidèle époux, mettant dans le plus heureux jour les deux sacrifices pénibles de son goût et de sa colère, on n'a nul besoin d'y penser pour applaudir à son triomphe; elle est un modèle de vertu, l'exemple de son sexe et l'amour du nôtre.

Si cette métaphysique[2] de l'honnêteté des scènes, si ce principe avoué de toute décence théâtrale n'a point frappé nos juges à la représentation, c'est vainement que j'en étendrais ici le développement, les conséquences; un tribunal d'iniquité n'écoute point les défenses de l'accusé qu'il est chargé de perdre, et ma Comtesse n'est point traduite au parlement de la nation: c'est une commission qui la juge.

On a vu la légère esquisse de son aimable caractère dans la charmante pièce d'*Heureusement*[3]. Le goût naissant que la jeune femme éprouve pour son petit cousin l'officier, n'y parut blâmable à personne, quoique la tournure des scènes pût laisser à penser que la soirée eût fini d'autre manière, si l'époux ne fût pas rentré, comme dit l'auteur, *heureusement*. Heureusement aussi l'on n'avait pas le projet de calomnier cet auteur: chacun

note*s*

1. intérêt: désir amoureux (sens fort).
2. métaphysique: c'est ici un examen théorique, inutilement compliqué.

3. *Heureusement*: comédie de Rochon de Chabannes (1762) qui inspira Beaumarchais pour les scènes entre la Comtesse et Chérubin.

se livra de bonne foi à ce doux intérêt qu'inspire une jeune femme honnête et sensible, qui réprime ses premiers goûts ; et notez que, dans cette pièce, l'époux ne paraît qu'un peu sot ; dans la mienne, il est infidèle : ma Comtesse a plus de mérite.

Aussi, dans l'ouvrage que je défends, le plus véritable intérêt se porte-t-il sur la Comtesse ; le reste est dans le même esprit.

Pourquoi Suzanne la camariste[1], spirituelle, adroite et rieuse, a-t-elle aussi le droit de nous intéresser ? C'est qu'attaquée par un séducteur puissant, avec plus d'avantage qu'il n'en faudrait pour vaincre une fille de son état, elle n'hésite pas à confier les intentions du Comte aux deux personnes les plus intéressées à bien surveiller sa conduite : sa maîtresse et son fiancé. C'est que, dans tout son rôle, presque le plus long de la pièce, il n'y a pas une phrase, un mot qui ne respire la sagesse et l'attachement à ses devoirs : la seule ruse qu'elle se permette est en faveur de sa maîtresse, à qui son dévouement est cher, et dont tous les vœux sont honnêtes.

Pourquoi, dans ses libertés sur son maître, Figaro m'amuse-t-il au lieu de m'indigner ? C'est que, l'opposé des valets, il n'est pas, et vous le savez, le malhonnête homme de la pièce : en le voyant forcé, par son état, de repousser l'insulte avec adresse, on lui pardonne tout, dès qu'on sait qu'il ne ruse avec son seigneur que pour garantir ce qu'il aime et sauver sa propriété.

Donc, hors le Comte et ses agents, chacun fait dans la pièce à peu près ce qu'il doit. Si vous les croyez malhonnêtes parce qu'ils disent du mal les uns des autres, c'est une règle très fautive. Voyez nos honnêtes gens du siècle : on passe la vie à ne faire autre chose ! Il est même tellement reçu de déchirer sans pitié les absents, que moi, qui les défends toujours, j'entends murmurer

note ....

| **1. camariste :** femme de chambre (mot d'origine espagnole).

très souvent : « Quel diable d'homme, et qu'il est contrariant ! il dit du bien de tout le monde ! »

Est-ce mon page, enfin, qui vous scandalise, et l'immoralité qu'on reproche au fond de l'ouvrage serait-elle dans l'accessoire ? Ô censeurs délicats, beaux esprits sans fatigue, inquisiteurs pour la morale, qui condamnez en un clin d'œil les réflexions de cinq années, soyez justes une fois, sans tirer à conséquence. Un enfant de treize ans, aux premiers battements du cœur, cherchant tout sans rien démêler, idolâtre, ainsi qu'on l'est à cet âge heureux, d'un objet céleste pour lui, dont le hasard fit sa marraine, est-il un sujet de scandale ? Aimé de tout le monde au château, vif, espiègle et brûlant comme tous les enfants spirituels, par son agitation extrême, il dérange dix fois sans le vouloir les coupables projets du Comte. Jeune adepte de la nature, tout ce qu'il voit a droit de l'agiter : peut-être il n'est plus un enfant, mais il n'est pas encore un homme ; et c'est le moment que j'ai choisi pour qu'il obtînt de l'intérêt, sans forcer personne à rougir. Ce qu'il éprouve innocemment, il l'inspire partout de même. Direz-vous qu'on l'aime d'amour ? Censeurs, ce n'est pas là le mot. Vous êtes trop éclairés pour ignorer que l'amour, même le plus pur, a un motif intéressé : on ne l'aime donc pas encore ; on sent qu'un jour on l'aimera. Et c'est ce que l'auteur a mis avec gaieté dans la bouche de Suzanne, quand elle dit à cet enfant : *Oh ! dans trois ou quatre ans, je prédis que vous serez le plus grand petit vaurien*[1] *!...*

Pour lui imprimer plus fortement le caractère de l'enfance, nous le faisons exprès tutoyer par Figaro. Supposez-lui deux ans de plus, quel valet dans le château prendrait ces libertés ? Voyez-le à la fin de son rôle ; à peine a-t-il un habit d'officier, qu'il porte

note

| 1. *Oh ! [...] vaurien !* : acte I, scène 7.

la main à l'épée aux premières railleries du Comte, sur le qui-proquo d'un soufflet. Il sera fier, notre étourdi! mais c'est un enfant, rien de plus. N'ai-je pas vu nos dames, dans les loges, aimer mon page à la folie? Que lui voulaient-elles? Hélas! rien: c'était de l'intérêt aussi; mais, comme celui de la Comtesse, un pur et naïf intérêt: un intérêt... sans intérêt.

Mais est-ce la personne du page, ou la conscience du seigneur, qui fait le tourment du dernier toutes les fois que l'auteur les condamne à se rencontrer dans la pièce? Fixez ce léger aperçu, il peut vous mettre sur la voie; ou plutôt apprenez de lui que cet enfant n'est amené que pour ajouter à la moralité de l'ouvrage, en vous montrant que l'homme le plus absolu chez lui, dès qu'il suit un projet coupable, peut être mis au désespoir par l'être le moins important, par celui qui redoute le plus de se rencontrer sur sa route.

Quand mon page aura dix-huit ans, avec le caractère vif et bouillant que je lui ai donné, je serai coupable à mon tour si je le montre sur la scène. Mais à treize ans, qu'inspire-t-il? Quelque chose de sensible et doux, qui n'est amitié ni amour, et qui tient un peu de tous deux.

J'aurais de la peine à faire croire à l'innocence de ces impressions, si nous vivions dans un siècle moins chaste, dans un de ces siècles de calcul, où, voulant tout prématuré comme les fruits de leurs serres chaudes, les Grands mariaient leurs enfants à douze ans, et faisaient plier la nature, la décence et le goût aux plus sordides convenances, en se hâtant surtout d'arracher de ces êtres non formés des enfants encore moins formables, dont le bonheur n'occupait personne, et qui n'étaient que le prétexte d'un certain trafic d'avantages qui n'avait nul rapport à eux, mais uniquement à leur nom. Heureusement nous en sommes bien loin: et le caractère de mon page, sans conséquence pour lui-même, en a une relative au Comte, que le moraliste aperçoit, mais qui n'a pas encore frappé le grand commun de nos jugeurs.

Ainsi, dans cet ouvrage, chaque rôle important a quelque but moral. Le seul qui semble y déroger est le rôle de Marceline. Coupable d'un ancien égarement dont son Figaro fut le fruit, elle devrait, dit-on, se voir au moins punie par la confusion de sa faute, lorsqu'elle reconnaît son fils. L'auteur eût pu en tirer une moralité plus profonde : dans les mœurs qu'il veut corriger, la faute d'une jeune fille séduite est celle des hommes et non la sienne. Pourquoi donc ne l'a-t-il pas fait ?

Il l'a fait, censeurs raisonnables ! Étudiez la scène suivante, qui faisait le nerf du troisième acte, et que les comédiens m'ont prié de retrancher[1], craignant qu'un morceau si sévère n'obscurcît la gaieté de l'action.

Quand Molière a bien humilié la coquette ou coquine du *Misanthrope* par la lecture publique de ses lettres à tous ses amants[2], il la laisse avilie sous les coups qu'il lui a portés : il a raison ; qu'en ferait-il ? Vicieuse par goût et par choix, veuve aguerrie, femme de Cour, sans aucune excuse d'erreur, et fléau d'un fort honnête homme, il l'abandonne à nos mépris, et telle est sa moralité. Quant à moi, saisissant l'aveu naïf de Marceline au moment de la reconnaissance, je montrais cette femme humiliée, et Bartholo qui la refuse, et Figaro, leur fils commun, dirigeant l'attention publique sur les vrais fauteurs du désordre où l'on entraîne sans pitié toutes les jeunes filles du peuple douées d'une jolie figure.

Telle est la marche de la scène.

BRID'OISON, *parlant de Figaro, qui vient de reconnaître sa mère en Marceline.* C'est clair : i-il ne l'épousera pas.

notes

1. retrancher : les comédiens-français, qui jugeaient ce passage trop long (acte III, scène 16), demandèrent à ce qu'il soit supprimé.

2. à tous ses amants : Molière, *Le misanthrope* (acte V, scène 4). La « coquette ou coquine » est Célimène, « ses amants » désignent ses prétendants dans le langage moliéresque.

BARTHOLO. Ni moi non plus.

MARCELINE. Ni vous ! et votre fils ? Vous m'aviez juré...

BARTHOLO. J'étais fou. Si pareils souvenirs engageaient, on serait tenu d'épouser tout le monde.

BRID'OISON. E-et si l'on y regardait de si près, pè-ersonne n'épouserait personne.

BARTHOLO. Des fautes si connues ! une jeunesse déplorable !

MARCELINE, *s'échauffant par degrés.* Oui, déplorable, et plus qu'on ne croit ! Je n'entends pas nier mes fautes, ce jour les a trop bien prouvées ! Mais qu'il est dur de les expier après trente ans d'une vie modeste ! J'étais née, moi, pour être sage, et je le suis devenue sitôt qu'on m'a permis d'user de ma raison. Mais dans l'âge des illusions, de l'inexpérience et des besoins, où les séducteurs nous assiègent, pendant que la misère nous poignarde, que peut opposer une enfant à tant d'ennemis rassemblés ? Tel nous juge ici sévèrement, qui, peut-être, en sa vie a perdu dix infortunées !

FIGARO. Les plus coupables sont les moins généreux ; c'est la règle.

MARCELINE, *vivement.* Hommes plus qu'ingrats, qui flétrissez par le mépris les jouets de vos passions, vos victimes ! C'est vous qu'il faut punir des erreurs de notre jeunesse ; vous et vos magistrats si vains du droit de nous juger, et qui nous laissent enlever, par leur coupable négligence, tout honnête moyen de subsister. Est-il un seul état pour les malheureuses filles ? Elles avaient un droit naturel à toute la parure des femmes : on y laisse former mille ouvriers de l'autre sexe.

FIGARO, *en colère.* Ils font broder jusqu'aux soldats !

MARCELINE, *exaltée.* Dans les rangs même plus élevés, les femmes n'obtiennent de vous qu'une considération dérisoire ; leurrées de respects apparents, dans une servitude réelle ; traitées en mineures pour nos biens, punies en majeures pour nos fautes ! ah, sous tous les aspects, votre conduite avec nous fait horreur ou pitié !

FIGARO. Elle a raison !

LE COMTE, *à part.* Que trop raison !

BRID'OISON. Elle a, mon-on Dieu ! raison.

MARCELINE. Mais que nous font, mon fils, les refus d'un homme injuste ? Ne regarde pas d'où tu viens, vois où tu vas ; cela seul importe à chacun. Dans quelques mois, ta fiancée ne dépendra plus que d'elle-même ; elle t'acceptera, j'en réponds : vis entre une épouse, une mère tendres, qui te chériront à qui mieux mieux. Sois indulgent pour elles, heureux pour toi, mon fils ; gai, libre et bon pour tout le monde : il ne manquera rien à ta mère.

FIGARO. Tu parles d'or, maman, et je me tiens à ton avis. Qu'on est sot, en effet ! il y a des mille, mille ans que le monde roule, et dans cet océan de durée, où j'ai par hasard attrapé quelques chétifs trente ans qui ne reviendront plus, j'irais me tourmenter pour savoir à qui je les dois ! tant pis pour qui s'en inquiète ! Passer ainsi la vie à chamailler, c'est peser sur le collier sans relâche, comme les malheureux chevaux de la remonte des fleuves, qui ne reposent pas, même quand ils s'arrêtent, et qui tirent toujours, quoiqu'ils cessent de marcher. Nous attendrons[1].

J'ai bien regretté ce morceau ; et maintenant que la pièce est connue, si les comédiens avaient le courage de le restituer à ma prière, je pense que le public leur en saurait beaucoup de gré. Ils n'auraient plus même à répondre, comme je fus forcé de le faire à certains censeurs du beau monde, qui me reprochaient à la lecture, de les intéresser pour une femme de mauvaises mœurs : « Non, messieurs, je n'en parle pas pour excuser ses mœurs, mais pour vous faire rougir des vôtres sur le point le plus destructeur de toute honnêteté publique, *la corruption des*

---

note ....

| 1. C'est clair [...] Nous attendrons : *Le mariage de Figaro* (acte III, scène 16).

jeunes personnes; et j'avais raison de le dire, que vous trouvez ma pièce trop gaie, parce qu'elle est souvent trop sévère. Il n'y a que façon de s'entendre.

– Mais votre Figaro est un soleil tournant[1], qui brûle, en jaillissant, les manchettes de tout le monde. – Tout le monde est exagéré. Qu'on me sache gré du moins s'il ne brûle pas aussi les doigts de ceux qui croient s'y reconnaître : au temps qui court, on a beau jeu sur cette matière au théâtre. M'est-il permis de composer en auteur qui sort du collège ? de toujours faire rire des enfants, sans jamais rien dire à des hommes ? Et ne devez-vous pas me passer un peu de morale en faveur de ma gaieté, comme on passe aux Français un peu de folie en faveur de leur raison ? »

Si je n'ai versé sur nos sottises qu'un peu de critique badine, ce n'est pas que je ne sache en former de plus sévères : quiconque a dit tout ce qu'il sait dans son ouvrage, y a mis plus que moi dans le mien. Mais je garde une foule d'idées qui me pressent pour un des sujets les plus moraux du théâtre, aujourd'hui sur mon chantier : *La Mère coupable*[2], et si le dégoût dont on m'abreuve me permet jamais de l'achever, mon projet étant d'y faire verser des larmes à toutes les femmes sensibles, j'élèverai mon langage à la hauteur de mes situations ; j'y prodiguerai les traits de la plus austère morale, et je tonnerai fortement sur les vices que j'ai trop ménagés. Apprêtez-vous donc bien, messieurs, à me tourmenter de nouveau : ma poitrine a déjà grondé ; j'ai noirci beaucoup de papier au service de votre colère.

Et vous, honnêtes indifférents qui jouissez de tout sans prendre parti sur rien ; jeunes personnes modestes et timides, qui vous plaisez à ma *Folle Journée* (et je n'entreprends sa défense que pour justifier votre goût), lorsque vous verrez dans le monde un de ces hommes tranchants critiquer vaguement la pièce, tout blâmer sans rien désigner, surtout la trouver indécente, examinez bien cet homme-là, sachez son rang, son état, son caractère, et vous connaîtrez sur-le-champ le mot qui l'a blessé dans l'ouvrage.

On sent bien que je ne parle pas de ces écumeurs littéraires[1] qui vendent leurs bulletins ou leurs affiches à tant de liards[2] le paragraphe. Ceux-là, comme l'abbé Bazile, peuvent calomnier : *ils médiraient, qu'on ne les croirait pas*[3].

Je parle moins encore de ces libellistes[4] honteux qui n'ont trouvé d'autre moyen de satisfaire leur rage, l'assassinat étant trop dangereux, que de lancer, du cintre[5] de nos salles, des vers infâmes contre l'auteur, pendant que l'on jouait sa pièce[6]. Ils savent que je les connais ; si j'avais eu dessein de les nommer, ç'aurait été au ministère public[7] ; leur supplice est de l'avoir craint, il suffit à mon ressentiment. Mais on n'imaginera jamais jusqu'où ils ont osé élever les soupçons du public sur une aussi lâche épigramme[8] ! semblables à ces vils charlatans du Pont-Neuf, qui, pour accréditer leurs drogues, farcissent d'ordres[9], de cordons, le tableau qui leur sert d'enseigne.

Non, je cite nos importants, qui, blessés, on ne sait pourquoi, des critiques semées dans l'ouvrage, se chargent d'en dire du mal, sans cesser de venir aux noces.

C'est un plaisir assez piquant de les voir d'en bas au spectacle, dans le très plaisant embarras de n'oser montrer ni satisfaction

---

notes

1. **écumeurs littéraires :** plagiaires.
2. **liards :** monnaie de cuivre qui valait le quart d'un sou.
3. ***ils médiraient, qu'on ne les croirait pas :*** *Le barbier de Séville* (acte II, scène 9).
4. **libellistes :** auteurs de libelles, petits écrits diffamatoires.
5. **cintre :** partie du théâtre située au-dessus de la scène, entre le décor et les combles.

6. **sa pièce :** à la cinquième représentation, des vers attaquant Beaumarchais en personne furent lancés du haut des loges.
7. **ministère public :** les tribunaux.
8. **épigramme :** petite pièce en vers qui se termine par un trait, généralement satirique.
9. **d'ordres :** de décorations. Ces charlatans sont des marchands de remèdes miracles qui se font passer pour des docteurs.

ni colère ; s'avançant sur le bord des loges, prêts à se moquer de l'auteur, et se retirant aussitôt pour celer un peu de grimace ; emportés par un mot de la scène et soudainement rembrunis par le pinceau du moraliste, au plus léger trait de gaieté jouer tristement les étonnés, prendre un air gauche en faisant les pudiques, et regardant les femmes dans les yeux, comme pour leur reprocher de soutenir un tel scandale ; puis, aux grands applaudissements, lancer sur le public un regard méprisant, dont il est écrasé ; toujours prêts à lui dire, comme ce courtisan dont parle Molière, lequel, outré du succès de *L'École des femmes*, criait des balcons au public : *Ris donc, public, ris donc*[1] ! En vérité, c'est un plaisir, et j'en ai joui bien des fois.

Celui-là m'en rappelle un autre. Le premier jour de *La Folle Journée*, on s'échauffait dans le foyer (même d'honnêtes plébéiens[2]) sur ce qu'ils nommaient spirituellement *mon audace*. Un petit vieillard sec et brusque, impatienté de tous ces cris, frappe le plancher de sa canne, et dit en s'en allant : *Nos Français sont comme les enfants, qui braillent quand on les éberne*[3]. Il avait du sens, ce vieillard ! Peut-être on pouvait mieux parler, mais pour mieux penser, j'en défie.

Avec cette intention de tout blâmer, on conçoit que les traits les plus sensés ont été pris en mauvaise part. N'ai-je pas entendu vingt fois un murmure descendre des loges à cette réponse de Figaro :

LE COMTE. Une réputation détestable !

FIGARO. Et si je vaux mieux qu'elle ! Y a-t-il beaucoup de seigneurs qui puissent en dire autant[4] ?

---

notes ....

1. *Ris donc, public, ris donc !* : Molière, *Critique de L'école des femmes* (scène 5).
2. **plébéiens** : gens du peuple.

3. *éberne* : du verbe *éberner* ou *ébrener*, « essuyer les fesses ». En français moderne, on dirait *torcher*.
4. **Une réputation [...] en dire autant ?** : acte III, scène 5.

Je dis, moi, qu'il n'y en a point, qu'il ne saurait y en avoir, à moins d'une exception bien rare. Un homme obscur ou peu connu peut valoir mieux que sa réputation, qui n'est que l'opinion d'autrui. Mais de même qu'un sot en place en paraît une fois plus sot, parce qu'il ne peut plus rien cacher, de même un grand seigneur, l'homme élevé en dignités, que la fortune et sa naissance ont placé sur le grand théâtre, et qui en entrant dans le monde, eut toutes les préventions pour lui, vaut presque toujours moins que sa réputation, s'il parvient à la rendre mauvaise. Une assertion si simple et si loin du sarcasme devait-elle exciter le murmure? Si son application paraît fâcheuse aux Grands peu soigneux de leur gloire, en quel sens fait-elle épigramme sur ceux qui méritent nos respects? Et quelle maxime plus juste au théâtre peut servir de frein aux puissants, et tenir lieu de leçon à ceux qui n'en reçoivent point d'autres?

Non qu'il faille oublier (a dit un écrivain sévère, et je me plais à le citer parce que je suis de son avis), «non qu'il faille oublier, dit-il, ce qu'on doit aux rangs élevés: il est juste, au contraire, que l'avantage de la naissance soit le moins contesté de tous, parce que ce bienfait gratuit de l'hérédité, relatif aux exploits, vertus ou qualités des aïeux de qui le reçut, ne peut aucunement blesser l'amour-propre de ceux auxquels il fut refusé; parce que, dans une monarchie, si l'on ôtait les rangs intermédiaires, il y aurait trop loin du monarque aux sujets; bientôt on n'y verrait qu'un despote et des esclaves: le maintien d'une échelle graduée du laboureur au potentat[1] intéresse également les hommes de tous les rangs, et peut-être est le plus ferme appui de la constitution monarchique.»

---

note ....

| **1. potentat:** souverain absolu.

Mais quel auteur parlait ainsi? qui faisait cette profession de foi sur la noblesse, dont on me suppose si loin? C'était Pierre-Augustin Caron de Beaumarchais, plaidant par écrit au Parlement[1] d'Aix, en 1778, une grande et sévère question qui décida bientôt de l'honneur d'un noble[2] et du sien. Dans l'ouvrage que je défends, on n'attaque point les États, mais les abus de chaque État : les gens seuls qui s'en rendent coupables ont intérêt à le trouver mauvais. Voilà les rumeurs expliquées : mais quoi donc! les abus sont-ils devenus si sacrés, qu'on n'en puisse attaquer aucun sans lui trouver vingt défenseurs?

Un avocat célèbre, un magistrat respectable, iront-ils donc s'approprier le plaidoyer d'un Bartholo, le jugement d'un Brid'oison? Ce mot de Figaro sur l'indigne abus des plaidoiries de nos jours *(C'est dégrader le plus noble institut[3])* a bien montré le cas que je fais du noble métier d'avocat ; et mon respect pour la magistrature ne sera pas plus suspecté quand on saura dans quelle école j'en ai recherché la leçon, quand on lira le morceau suivant, aussi tiré d'un moraliste, lequel parlant des magistrats, s'exprime en ces termes formels :

«Quel homme aisé voudrait, pour le plus modique honoraire, faire le métier cruel de se lever à quatre heures, pour aller au Palais tous les jours s'occuper, sous des formes prescrites, d'intérêts qui ne sont jamais les siens? d'éprouver sans cesse l'ennui de l'importunité, le dégoût des sollicitations, le bavardage des plaideurs, la monotonie des audiences, la fatigue des délibérations, et la contention d'esprit nécessaire aux prononcés des arrêts, s'il ne se croyait pas payé de cette vie laborieuse et pénible par l'estime et la considération publiques? Et cette estime

notes

1. **Parlement :** cour de justice.
2. **d'un noble :** le comte de La Blache, avec qui Beaumarchais eut un procès.

3. *C'est dégrader le plus noble institut* : acte III, scène 15.

est-elle autre chose qu'un jugement, qui n'est même aussi flatteur pour les bons magistrats qu'en raison de sa rigueur excessive contre les mauvais ? »

Mais quel écrivain m'instruisait ainsi par ses leçons ? Vous allez croire encore que c'est Pierre-Augustin ; vous l'avez dit : c'est lui, en 1773, dans son quatrième Mémoire[1], en défendant jusqu'à la mort sa triste existence, attaquée par un soi-disant magistrat. Je respecte donc hautement ce que chacun doit honorer, et je blâme ce qui peut nuire.

« Mais dans cette *Folle Journée*, au lieu de saper les abus, vous vous donnez des libertés très répréhensibles au théâtre ; votre monologue surtout contient, sur les gens disgraciés, des traits qui passent la licence ! — Eh ! croyez-vous, messieurs, que j'eusse un talisman pour tromper, séduire, enchaîner la censure et l'autorité, quand je leur soumis mon ouvrage ? que je n'aie pas dû justifier ce que j'avais osé écrire ? » Que fais-je dire à Figaro, parlant à l'homme déplacé ? *Que les sottises imprimées n'ont d'importance qu'aux lieux où l'on en gêne le cours*[2]. Est-ce donc là une vérité d'une conséquence dangereuse ? Au lieu de ces inquisitions puériles et fatigantes, et qui seules donnent de l'importance à ce qui n'en aurait jamais, si, comme en Angleterre, on était assez sage ici pour traiter les sottises avec ce mépris qui les tue, loin de sortir du vil fumier qui les enfante, elles y pourriraient en germant, et ne se propageraient point. Ce qui multiplie les libelles est la faiblesse de les craindre ; ce qui fait vendre les sottises est la sottise de les défendre.

Et comment conclut Figaro ? *Que sans la liberté de blâmer, il n'est point d'éloge flatteur ; et qu'il n'y a que les petits hommes qui redoutent les petits écrits*[3]. Sont-ce là des hardiesses coupables, ou bien des aiguillons de gloire? des moralités insidieuses, ou des maximes réfléchies, aussi justes qu'encourageantes?

Supposez-les le fruit des souvenirs. Lorsque, satisfait du présent, l'auteur veille pour l'avenir, dans la critique du passé, qui peut avoir droit de s'en plaindre? Et si, ne désignant ni temps, ni lieu, ni personnes, il ouvre la voie au théâtre à des réformes désirables, n'est-ce pas aller à son but?

La Folle Journée explique donc comment, dans un temps prospère, sous un roi juste et des ministres modérés, l'écrivain peut tonner sur les oppresseurs, sans craindre de blesser personne. C'est pendant le règne d'un bon prince qu'on écrit sans danger l'histoire des méchants rois; et plus le gouvernement est sage, est éclairé, moins la liberté de dire est en presse[1]: chacun y faisant son devoir, on n'y craint pas les allusions; nul homme en place ne redoutant ce qu'il est forcé d'estimer, on n'affecte point alors d'opprimer chez nous cette même littérature qui fait notre gloire au-dehors, et nous y donne une sorte de primauté que nous ne pouvons tirer d'ailleurs.

En effet, à quel titre y prétendrions-nous? Chaque peuple tient à son culte et chérit son gouvernement. Nous ne sommes pas restés plus braves que ceux qui nous ont battus à leur tour. Nos mœurs plus douces, mais non meilleures, n'ont rien qui nous élève au-dessus d'eux. Notre littérature seule, estimée de toutes les nations, étend l'empire de la langue française et nous obtient de l'Europe entière une prédilection avouée qui justifie, en l'honorant, la protection que le gouvernement lui accorde.

Et comme chacun cherche toujours le seul avantage qui lui marque, c'est alors qu'on peut voir dans nos académies l'homme de la Cour siéger avec les gens de lettres; les talents personnels

note ....

| **1. en presse**: opprimée.

et la considération héritée se disputer ce noble objet, et les archives académiques se remplir presque également de papiers et de parchemins.

Revenons à *La Folle Journée*.

Un monsieur de beaucoup d'esprit, mais qui l'économise un peu trop, me disait un soir au spectacle : « Expliquez-moi donc, je vous prie, pourquoi dans votre pièce on trouve autant de phrases négligées qui ne sont pas de votre style ? – De mon style, monsieur ? Si par malheur j'en avais un, je m'efforcerais de l'oublier quand je fais une comédie, ne connaissant rien d'insipide au théâtre comme ces fades camaïeux[1] où tout est bleu, où tout est rose, où tout est l'auteur, quel qu'il soit. »

Lorsque mon sujet me saisit, j'évoque tous mes personnages et les mets en situation : « Songe à toi, Figaro, ton maître va te deviner. Sauvez-vous vite, Chérubin, c'est le Comte que vous touchez. – Ah ! Comtesse, quelle imprudence avec un époux si violent ! » Ce qu'ils diront, je n'en sais rien, c'est ce qu'ils feront qui m'occupe. Puis, quand ils sont bien animés, j'écris sous leur dictée rapide, sûr qu'ils ne me tromperont pas ; que je reconnaîtrai Bazile, lequel n'a pas l'esprit de Figaro, qui n'a pas le ton noble du Comte, qui n'a pas la sensibilité de la Comtesse, qui n'a pas la gaieté de Suzanne, qui n'a pas l'espièglerie du page, et surtout aucun d'eux la sublimité de Brid'oison. Chacun y parle son langage : eh ! que le dieu du naturel les préserve d'en parler d'autre ! Ne nous attachons donc qu'à l'examen de leurs idées, et non à rechercher si j'ai dû leur prêter mon style.

Quelques malveillants ont voulu jeter de la défaveur sur cette phrase de Figaro : *Sommes-nous des soldats qui tuent et se font tuer pour des intérêts qu'ils ignorent ? Je veux savoir, moi, pourquoi je me*

---

note

1. **camaïeux** : genres de peintures dans lesquelles on emploie différents tons d'une seule couleur.

fâche[1] ! À travers le nuage d'une conception indigeste, ils ont feint d'apercevoir *que je répands une lumière décourageante sur l'état pénible du soldat ; et il y a des choses qu'il ne faut jamais dire.* Voilà dans toute sa force l'argument de la méchanceté ; reste à en prouver la bêtise.

Si, comparant la dureté du service à la modicité de la paye[2], ou discutant tel autre inconvénient de la guerre et comptant la gloire pour rien, je versais de la défaveur sur ce plus noble des affreux métiers, on me demanderait justement compte d'un mot indiscrètement échappé. Mais du soldat au colonel, au général exclusivement, quel imbécile homme de guerre a jamais eu la prétention qu'il dût pénétrer les secrets du cabinet, pour lesquels il fait la campagne ? C'est de cela seul qu'il s'agit dans la phrase de Figaro. Que ce fou-là se montre, s'il existe ; nous l'enverrons étudier sous le philosophe Babouc[3], lequel éclaircit disertement[4] ce point de discipline militaire.

En raisonnant sur l'usage que l'homme fait de sa liberté dans les occasions difficiles, Figaro pouvait également opposer à sa situation tout état qui exige une obéissance implicite, et le cénobite[5] zélé dont le devoir est de tout croire sans jamais rien examiner, comme le guerrier valeureux, dont la gloire est de tout affronter sur des ordres non motivés, *de tuer et se faire tuer pour des intérêts qu'il ignore.* Le mot de Figaro ne dit donc rien, sinon qu'un homme libre de ses actions doit agir sur d'autres principes que ceux dont le devoir est d'obéir aveuglément.

Qu'aurait-ce été, Bon Dieu ! si j'avais fait usage d'un mot qu'on attribue au grand Condé[6], et que j'entends louer à outrance par

notes

1. *Sommes-nous [...] je me fâche !* : acte V, scène 12.
2. **modicité de la paye:** faible salaire.
3. **le philosophe Babouc:** héros du conte *Le monde comme il va* de Voltaire (1748).
4. **disertement:** de façon aisée et avec élégance.
5. **cénobite:** moine qui vit en communauté.
6. **grand Condé:** Louis II, prince de Condé (1621-1686). Il s'illustra contre les Espagnols, à la bataille de Rocroi (1643).

76

ces mêmes logiciens qui déraisonnent sur ma phrase? À les croire, le grand Condé montra la plus noble présence d'esprit lorsque, arrêtant Louis XIV prêt à pousser son cheval dans le Rhin, il dit à ce monarque: *Sire, avez-vous besoin du bâton de maréchal?*

Heureusement on ne prouve nulle part que ce grand homme ait dit cette grande sottise. C'eût été dire au roi, devant toute son armée: «Vous moquez-vous donc, Sire, de vous exposer dans un fleuve? Pour courir de pareils dangers, il faut avoir besoin d'avancement ou de fortune!»

Ainsi l'homme le plus vaillant, le plus grand général du siècle aurait compté pour rien l'honneur, le patriotisme et la gloire! Un misérable calcul d'intérêt eût été, selon lui, le seul principe de la bravoure! Il eût dit là un affreux mot, et si j'en avais pris le sens pour l'enfermer dans quelque trait, je mériterais le reproche qu'on fait gratuitement au mien.

Laissons donc les cerveaux fumeux louer ou blâmer au hasard, sans se rendre compte de rien; s'extasier sur une sottise qui n'a pu jamais être dite, et proscrire un mot juste et simple, qui ne montre que du bon sens.

Un àutre reproche assez fort, mais dont je n'ai pu me laver, est d'avoir assigné pour retraite à la Comtesse un certain couvent d'Ursulines[1]. *Ursulines!* a dit un seigneur, joignant les mains avec éclat. *Ursulines!* a dit une dame, en se renversant de surprise sur un jeune Anglais de sa loge. «*Ursulines!* ah! milord! si vous entendiez le français!... – Je sens, je sens beaucoup, madame, dit le jeune homme en rougissant. – C'est qu'on n'a jamais mis au théâtre aucune femme aux *Ursulines!* Abbé, parlez-nous donc! L'abbé (toujours appuyée sur l'Anglais), comment trouvez-vous Ursulines? – Fort indécent», répond l'abbé, sans cesser de lorgner Suzanne. Et tout le beau monde a répété: *Ursulines est fort indécent.* Pauvre auteur! on te croit jugé, quand chacun songe à son affaire. En vain j'essayais d'établir que, dans l'événement de la scène, moins la Comtesse a dessein de se cloîtrer, plus elle doit le feindre et faire croire à son époux que sa retraite est bien choisie: ils ont proscrit mes *Ursulines*!

Dans le plus fort de la rumeur, moi, bon homme, j'avais été jusqu'à prier une des actrices qui font le charme de ma pièce de demander aux mécontents à quel autre couvent de filles ils estimaient qu'il fût *décent* que l'on fit entrer la Comtesse? À moi, cela m'était égal; je l'aurais mise où l'on aurait voulu: aux *Augustines*, aux *Célestines*, aux *Clairettes*, aux *Visitandines*, même aux *Petites Cordelières*[1], tant je tiens peu aux *Ursulines*. Mais on agit si durement!

Enfin, le bruit croissant toujours, pour arranger l'affaire avec douceur, j'ai laissé le mot *Ursulines* à la place où je l'avais mis: chacun alors content de soi, de tout l'esprit qu'il avait montré, s'est apaisé sur *Ursulines*, et l'on a parlé d'autre chose.

Je ne suis point, comme l'on voit, l'ennemi de mes ennemis. En disant bien du mal de moi, ils n'en ont point fait à ma pièce; et s'ils sentaient seulement autant de joie à la déchirer[2] que j'eus de plaisir à la faire, il n'y aurait personne d'affligé. Le malheur est qu'ils ne rient point; et ils ne rient point à ma pièce, parce qu'on ne rit point à la leur. Je connais plusieurs amateurs qui sont même beaucoup maigris depuis le succès du *Mariage*: excusons donc l'effet de leur colère.

---

notes

1. *Augustines,* [...] *Petites Cordelières*: noms de différents couvents de femmes.

2. déchirer: critiquer violemment.

78

À des moralités d'ensemble et de détail, répandues dans les flots d'une inaltérable gaieté ; à un dialogue assez vif, dont la facilité nous cache le travail, si l'auteur a joint une intrigue aisément filée, où l'art se dérobe sous l'art, qui se noue et se dénoue sans cesse, à travers une foule de situations comiques, de tableaux piquants et variés qui soutiennent, sans la fatiguer, l'attention du public pendant les trois heures et demie que dure le même spectacle (essai que nul homme de lettres n'avait encore osé tenter !), que reste-t-il à faire à de pauvres méchants que tout cela irrite ? Attaquer, poursuivre l'auteur par des injures verbales, manuscrites, imprimées : c'est ce qu'on a fait sans relâche. Ils ont même épuisé jusqu'à la calomnie, pour tâcher de me perdre dans l'esprit de tout ce qui influe en France sur le repos d'un citoyen. Heureusement que mon ouvrage est sous les yeux de la nation, qui depuis dix grands mois le voit, le juge et l'apprécie. Le laisser jouer tant qu'il fera plaisir est la seule vengeance que je me sois permise. Je n'écris point ceci pour les lecteurs actuels : le récit d'un mal trop connu touche peu ; mais dans quatre-vingts ans il portera son fruit. Les auteurs de ce temps-là compareront leur sort au nôtre, et nos enfants sauront à quel prix on pouvait amuser leurs pères.

Allons au fait ; ce n'est pas tout cela qui blesse. Le vrai motif qui se cache, et qui dans les replis du cœur produit tous les autres reproches, est renfermé dans ce quatrain :

> *Pourquoi ce Figaro qu'on va tant écouter*
> *Est-il avec fureur déchiré par les sots ?*
> *Recevoir, prendre et demander,*
> *Voilà le secret en trois mots[1] !*

note

[1]. *en trois mots* : les deux derniers vers de ce quatrain sont la définition que donne Figaro du « métier de courtisan » (acte II, scène 2).

En effet, Figaro parlant du métier de courtisan, le définit dans ces termes sévères. Je ne puis le nier, je l'ai dit. Mais reviendrai-je sur ce point ? Si c'est un mal, le remède serait pire : il faudrait poser méthodiquement ce que je n'ai fait qu'indiquer ; revenir à montrer qu'il n'y a point de synonyme, en français, entre *l'homme de la Cour, l'homme de Cour*, et *le courtisan par métier*.

Il faudrait répéter qu'*homme de la Cour* peint seulement un noble état ; qu'il s'entend de l'homme de qualité, vivant avec la noblesse et l'éclat que son rang lui impose ; que si cet *homme de la Cour* aime le bien par goût, sans intérêt, si loin de jamais nuire à personne, il se fait estimer de ses maîtres, aimer de ses égaux et respecter des autres ; alors cette acceptation reçoit un nouveau lustre, et j'en connais plus d'un que je nommerais avec plaisir, s'il en était question.

Il faudrait montrer qu'*homme de Cour*, en bon français, est moins l'énoncé d'un état que le résumé d'un caractère adroit, liant, mais réservé ; pressant la main de tout le monde en glissant chemin à travers ; menant finement son intrigue avec l'air de toujours servir ; ne se faisant point d'ennemis, mais donnant près d'un fossé, dans l'occasion, de l'épaule au meilleur ami, pour assurer sa chute et le remplacer sur la crête ; laissant à part tout préjugé qui pourrait ralentir sa marche ; souriant à ce qui lui déplaît, et critiquant ce qu'il approuve, selon les hommes qui l'écoutent ; dans les liaisons utiles de sa femme ou de sa maîtresse, ne voyant que ce qu'il doit voir, enfin...

> *Prenant tout, pour le faire court,*
> *En véritable* homme de Cour[1].

LA FONTAINE.

....

1. *Prenant tout* [...] homme de Cour : vers 242-243 de *Joconde*, un conte en vers de La Fontaine.

Cette acception n'est pas aussi défavorable que celle du *courtisan par métier*, et c'est l'homme dont parle Figaro.

Mais quand j'étendrais la définition de ce dernier ; quand parcourant tous les possibles, je le montrerais avec son maintien équivoque, haut et bas à la fois ; rampant avec orgueil, ayant toutes les prétentions sans en justifier une ; se donnant l'air du *protègement*[1] pour se faire chef de parti ; dénigrant tous les concurrents qui balanceraient son crédit ; faisant un métier lucratif de ce qui ne devrait qu'honorer ; vendant ses maîtresses à son maître ; lui faisant payer ses plaisirs, etc., etc., et quatre pages d'etc., il faudrait toujours revenir au distique[2] de Figaro :

> *Recevoir, prendre et demander,*
> *Voilà le secret en trois mots.*

Pour ceux-ci, je n'en connais point ; il y en eut, dit-on, sous Henri III, sous d'autres rois encore ; mais c'est l'affaire de l'historien, et, quant à moi, je suis d'avis que les vicieux du siècle en sont comme les saints ; qu'il faut cent ans pour les canoniser. Mais puisque j'ai promis la critique de ma pièce, il faut enfin que je la donne.

En général son grand défaut est *que je ne l'ai point faite en observant le monde ; qu'elle ne peint rien de ce qui existe, et ne rappelle jamais l'image de la société où l'on vit ; que ses mœurs, basses et corrompues, n'ont pas même le mérite d'être vraies*[3]. Et c'est ce qu'on lisait dernièrement dans un beau discours imprimé, composé par un homme de bien, auquel il n'a manqué qu'un peu d'esprit pour être un écrivain médiocre. Mais médiocre ou non, moi qui ne fis jamais usage de cette allure oblique et torse[4] avec laquelle un

---

notes

1. protègement : l'homme de cour se donne des airs de protecteur pour rallier des gens à sa cause (néologisme).
2. distique : strophe de deux vers.

3. que je ne l'ai point faite [...] vraies : discours de l'académicien Suard, adversaire farouche de Beaumarchais (15 juin 1784).
4. torse : tordue.

sbire[1], qui n'a pas l'air de vous regarder, vous donne du stylet[2] au flanc, je suis de l'avis de celui-ci. Je conviens qu'à la vérité la génération passée ressemblait beaucoup à ma pièce ; que la génération future lui ressemblera beaucoup aussi ; mais que pour la génération présente, elle ne lui ressemble aucunement ; que je n'ai jamais rencontré ni mari suborneur, ni seigneur libertin, ni courtisan avide, ni juge ignorant ou passionné[3], ni avocat injuriant, ni gens médiocres avancés, ni traducteur bassement jaloux. Et que si des âmes pures, qui ne s'y reconnaissent point du tout, s'irritent contre ma pièce et la déchirent sans relâche, c'est uniquement par respect pour leurs grands-pères et sensibilité pour leurs petits-enfants. J'espère, après cette déclaration, qu'on me laissera bien tranquille ; ET J'AI FINI.

1. sbire : homme de main.
2. stylet : poignard très fin.

3. passionné : sans impartialité.

Caractères et habillements de la pièce

LE COMTE ALMAVIVA doit être joué très noblement, mais avec grâce et liberté. La corruption du cœur ne doit rien ôter au *bon ton* de ses manières. Dans les mœurs *de ce temps-là* les grands traitaient en badinant toute entreprise sur les femmes. Ce rôle est d'autant plus pénible à bien rendre que le personnage est toujours sacrifié. Mais, joué par un comédien excellent (M. Molé[1]), il a fait ressortir tous les rôles et assuré le succès de la pièce.

Son vêtement des premier et second actes est un habit de chasse avec des bottines à mi-jambe, de l'ancien costume espagnol. Du troisième acte jusqu'à la fin, un habit superbe de ce costume.

LA COMTESSE, agitée de deux sentiments contraires, ne doit montrer qu'une sensibilité réprimée, ou une colère très modérée ; rien surtout qui dégrade, aux yeux du spectateur, son caractère aimable et vertueux. Ce rôle, un des plus difficiles de la pièce, a fait infiniment d'honneur au grand talent de Mlle Saint-Val cadette[2].

Son vêtement des premier, second et quatrième actes est une lévite[3] commode, et nul ornement sur la tête : elle est chez elle et censée incommodée. Au cinquième acte, elle a l'habillement et la haute coiffure de Suzanne.

FIGARO. L'on ne peut trop recommander à l'acteur qui jouera ce rôle de bien se pénétrer de son esprit, comme l'a fait

notes
....

1. M. Molé : acteur de la Comédie-Française qui jouait traditionnellement les « pères nobles ».
2. Mlle Saint-Val cadette : actrice de la Comédie-Française qui jouait les grands rôles féminins.

3. lévite : longue robe d'intérieur, boutonnée sur le devant.

M. Dazincourt[1]. S'il y voyait autre chose que de la raison assaisonnée de gaieté et de saillies[2], surtout s'il y mettait la moindre charge, il avilirait un rôle que le premier comique du théâtre, M. Préville[3], a jugé devoir honorer le talent de tout comédien qui saurait en saisir les nuances multipliées et pourrait s'élever à son entière conception.

Son vêtement comme dans *Le Barbier de Séville*.

SUZANNE. Jeune personne adroite, spirituelle et rieuse, mais non de cette gaieté presque effrontée de nos soubrettes corruptrices ; son joli caractère est dessiné dans la préface, et c'est là que l'actrice qui n'a point vu Mlle Contat[4] doit l'étudier pour le bien rendre.

Son vêtement des quatre premiers actes est un juste[5] blanc à basquines[6], très élégant, la jupe de même, avec une toque appelée depuis par nos marchandes *à la Suzanne*. Dans la fête du quatrième acte, le Comte lui pose sur la tête une toque à long voile, à hautes plumes et à rubans blancs. Elle porte au cinquième acte la lévite de sa maîtresse, et nul ornement sur la tête.

MARCELINE est une femme d'esprit, née un peu vive, mais dont les fautes et l'expérience ont réformé le caractère. Si l'actrice qui le joue s'élève avec une fierté bien placée à la hauteur très morale qui suit la reconnaissance du troisième acte, elle ajoutera beaucoup à l'intérêt de l'ouvrage.

Son vêtement est celui des duègnes[7] espagnoles, d'une couleur modeste, un bonnet noir sur la tête.

notes

1. M. Dazincourt : comédien-français qui jouait les valets.
2. saillies : traits d'esprit brillants et imprévus.
3. M. Préville : grand acteur comique et doyen de la Comédie-Française depuis 1778.
4. Mlle Contat : actrice de la Comédie-Française qui jouait les rôles d'ingénues, c'est-à-dire de jeunes filles naïves.

5. juste : corsage moulant.
6. basquines : parties d'un vêtement qui, partant de la taille, recouvrent les hanches.
7. duègnes : gouvernantes ou femmes âgées qui étaient chargées, en Espagne, de veiller sur une jeune fille, une jeune femme de noble condition (emploi de comédie).

84

ANTONIO ne doit montrer qu'une demi-ivresse, qui se dissipe par degrés, de sorte qu'au cinquième acte on ne s'en aperçoive presque plus.

Son vêtement est celui d'un paysan espagnol, où les manches pendent par-derrière ; un chapeau et des souliers blancs.

FANCHETTE est une enfant de douze ans, très naïve. Son petit habit est un juste brun avec des ganses[1] et des boutons d'argent, la jupe de couleur tranchante, et une toque noire à plumes sur la tête. Il sera celui des autres paysannes de la noce.

CHÉRUBIN. Ce rôle ne peut être joué, comme il l'a été, que par une jeune et très jolie femme ; nous n'avons point à nos théâtres de très jeune homme assez formé pour en bien sentir les finesses. Timide à l'excès devant la Comtesse, ailleurs un charmant polisson ; un désir inquiet et vague est le fond de son caractère. Il s'élance à la puberté, mais sans projet, sans connaissances, et tout entier à chaque événement ; enfin il est ce que toute mère, au fond du cœur, voudrait peut-être que fût son fils, quoiqu'elle dût beaucoup en souffrir.

Son riche vêtement, aux premier et second actes, est celui d'un page de Cour espagnol, blanc et brodé d'argent ; le léger manteau bleu sur l'épaule, et un chapeau chargé de plumes. Au quatrième acte, il a le corset, la jupe et la toque des jeunes paysannes qui l'amènent. Au cinquième acte, un habit uniforme d'officier, une cocarde et une épée.

BARTHOLO. Le caractère et l'habit comme dans *Le Barbier de Séville* ; il n'est ici qu'un rôle secondaire.

BAZILE. Caractère et vêtement comme dans *Le Barbier de Séville* ; il n'est aussi qu'un rôle secondaire.

---

note ....

| 1. **ganses** : cordons.

BRID'OISON doit avoir cette bonne et franche assurance des bêtes qui n'ont plus leur timidité. Son bégaiement n'est qu'une grâce de plus qui doit être à peine sentie, et l'acteur se tromperait lourdement et jouerait à contresens s'il y cherchait le plaisant de son rôle. Il est tout entier dans l'opposition de la gravité de son état au ridicule du caractère ; et moins l'acteur le chargera, plus il montrera de vrai talent.

Son habit est une robe de juge espagnol moins ample que celle de nos procureurs, presque une soutane ; une grosse perruque, une gonille ou rabat[1] espagnol au cou, et une longue baguette blanche à la main.

DOUBLE-MAIN. Vêtu comme le juge, mais la baguette blanche plus courte.

L'HUISSIER OU ALGUAZIL[2]. Habit, manteau, épée de Crispin[3], mais portée à son côté sans ceinture de cuir. Point de bottines, une chaussure noire, une perruque blanche naissante et longue à mille boucles, une courte baguette blanche.

GRIPE-SOLEIL. Habit de paysan, les manches pendantes ; veste de couleur tranchée, chapeau blanc.

UNE JEUNE BERGÈRE. Son vêtement comme celui de Fanchette.

PÉDRILLE. En veste, gilet, ceinture, fouet, et bottes de poste, une résille sur la tête, chapeau de courrier.

PERSONNAGES MUETS, les uns en habits de juges, d'autres en habits de paysans, les autres en habits de livrée[4].

notes

1. **gonille ou rabat :** morceau d'étoffe que portent au cou les gens de robe et d'Église.
2. **Alguazil :** synonyme d'*huissier*.
3. **Crispin :** valet de comédie italienne.
4. **livrée :** tenue de valet.

Placement des acteurs

Pour faciliter les jeux du théâtre, on a eu l'attention d'écrire au commencement de chaque scène le nom des personnages dans l'ordre où le spectateur les voit. S'ils font quelque mouvement grave dans la scène, il est désigné par un nouvel ordre de noms, écrit en marge à l'instant qu'il arrive. Il est important de conserver les bonnes positions théâtrales ; le relâchement dans la tradition donnée par les premiers acteurs en produit bientôt un total dans le jeu des pièces, qui finit par assimiler les troupes négligentes aux plus faibles comédiens de société.

La boutique de Figaro, peinte par Jimenez Aranda en 1875.

Personnages

LE COMTE ALMAVIVA, grand corrégidor[1] d'Andalousie.

LA COMTESSE, sa femme.

FIGARO, valet de chambre du Comte, et concierge du château.

SUZANNE, première camariste[2] de la Comtesse, et fiancée de Figaro.

MARCELINE, femme de charge[3].

ANTONIO, jardinier du château, oncle de Suzanne et père de Fanchette.

FANCHETTE, fille d'Antonio.

CHÉRUBIN, premier page[4] du Comte.

BARTHOLO, médecin de Séville.

BAZILE, maître de clavecin de la Comtesse.

DON GUSMAN BRID'OISON, lieutenant du siège[5].

DOUBLE-MAIN, greffier[6], secrétaire de don Gusman.

UN HUISSIER-AUDIENCIER.

GRIPE-SOLEIL, jeune pastoureau[7].

UNE JEUNE BERGÈRE.

PÉDRILLE, piqueur[8] du Comte.

notes

1. **corrégidor:** premier officier de justice d'une ville espagnole.
2. **camariste:** femme de chambre.
3. **femme de charge:** intendante de la maison.
4. **page:** jeune noble au service d'un seigneur.

5. **lieutenant du siège:** officier de justice.
6. **greffier:** officier public de justice.
7. **pastoureau:** petit berger.
8. **piqueur:** valet qui s'occupe des chevaux.

Personnages muets

TROUPE DE VALETS.
TROUPE DE PAYSANNES.
TROUPE DE PAYSANS.

*La scène est au château
d'Aguas-Frescas[1],
à trois lieues de Séville.*

**Suzanne,
gravure
d'Émile Bayard.**

Emmanuel Bilodeau
interprétant Figaro
dans une mise en scène
de Normand Chouinard
au Théâtre du
Nouveau Monde (2009).

Acte 1

Le théâtre représente une chambre à demi démeublée ; un grand fauteuil de malade est au milieu. Figaro, avec une toise[1], mesure le plancher. Suzanne attache à sa tête, devant une glace, le petit bouquet de fleurs d'orange, appelé chapeau de la mariée.

Scène 1

FIGARO, SUZANNE

FIGARO – Dix-neuf pieds sur vingt-six.

SUZANNE – Tiens, Figaro, voilà mon petit chapeau ; le trouves-tu mieux ainsi ?

FIGARO *lui prend les mains* – Sans comparaison, ma charmante. Oh ! que ce joli bouquet virginal, élevé sur la tête d'une belle fille, est doux, le matin des noces, à l'œil amoureux d'un époux !...

note ....

1. *toise* : instrument pour mesurer ; la toise est une ancienne mesure française de longueur valant 1,949 m.

SUZANNE *se retire* – Que mesures-tu donc là, mon fils[1] ?

FIGARO – Je regarde, ma petite Suzanne, si ce beau lit que Monseigneur nous donne aura bonne grâce ici.

10 SUZANNE – Dans cette chambre ?

FIGARO – Il nous la cède.

SUZANNE – Et moi, je n'en veux point.

FIGARO – Pourquoi ?

SUZANNE – Je n'en veux point.

15 FIGARO – Mais encore ?

SUZANNE – Elle me déplaît.

FIGARO – On dit une raison.

SUZANNE – Si je n'en veux pas dire ?

FIGARO – Oh ! quand elles sont sûres de nous !

20 SUZANNE – Prouver que j'ai raison serait accorder que je puis avoir tort. Es-tu mon serviteur, ou non ?

FIGARO – Tu prends de l'humeur contre la chambre du château la plus commode, et qui tient le milieu des deux appartements. La nuit, si Madame est incommodée, elle
25 sonnera de son côté ; zeste[2] ! en deux pas tu es chez elle. Monseigneur veut-il quelque chose ? il n'a qu'à tinter du sien ; crac ! en trois sauts me voilà rendu.

SUZANNE – Fort bien ! Mais quand il aura *tinté* le matin, pour te donner quelque bonne et longue commission, zeste ! en deux
30 pas, il est à ma porte, et crac ! en trois sauts...

FIGARO – Qu'entendez-vous par ces paroles ?

SUZANNE – Il faudrait m'écouter tranquillement.

passage analysé

notes

1. **mon fils** : terme affectueux.

2. **zeste** : interjection qui souligne la rapidité de l'action.

FIGARO – Eh, qu'est-ce qu'il y a? Bon Dieu!

SUZANNE – Il y a, mon ami, que, las de courtiser les beautés des
environs, M. le comte Almaviva veut rentrer au château, mais
non pas chez sa femme; c'est sur la tienne, entends-tu, qu'il a
jeté ses vues, auxquelles il espère que ce logement ne nuira
pas. Et c'est ce que le loyal Bazile, honnête agent de ses plaisirs
et mon noble[1] maître à chanter, me répète chaque jour en me
donnant leçon.

FIGARO – Bazile! ô mon mignon! si jamais volée de bois vert,
appliquée sur une échine, a dûment redressé la moelle épinière
à quelqu'un...

SUZANNE – Tu croyais, bon garçon! que cette dot qu'on me
donne était pour les beaux yeux de ton mérite?

FIGARO – J'avais assez fait[2] pour l'espérer.

SUZANNE – Que les gens d'esprit sont bêtes!

FIGARO – On le dit.

SUZANNE – Mais c'est qu'on ne veut pas le croire!

FIGARO – On a tort.

SUZANNE – Apprends qu'il la destine à obtenir de moi
secrètement certain quart d'heure, seul à seule, qu'un ancien
droit du seigneur[3]... Tu sais s'il était triste!

FIGARO – Je le sais tellement, que si monsieur le Comte, en se
mariant, n'eût pas aboli ce droit honteux, jamais je ne t'eusse
épousée dans ses domaines.

notes

1. **loyal [...], honnête [...] noble**: termes
ironiques. Bazile, présent dans *Le barbier
de Séville*, n'est pas un individu très
fréquentable!
2. **J'avais assez fait**: allusion au *Barbier de
Séville* où Figaro aide le comte Almaviva,
en déjouant la surveillance de Bartholo, à

conquérir Rosine qui devient la Comtesse
dans la présente pièce.
3. **droit du seigneur**: droit de cuissage par
lequel le seigneur pouvait coucher avec la
jeune épouse de son serviteur avant ce
dernier.

SUZANNE – Eh bien! s'il l'a détruit, il s'en repent; et c'est de ta fiancée qu'il veut le racheter en secret aujourd'hui.

FIGARO, *se frottant la tête* – Ma tête s'amollit de surprise; et mon front fertilisé[1]...

SUZANNE – Ne le frotte donc pas!

FIGARO – Quel danger?

SUZANNE, *riant* – S'il y venait un petit bouton... Des gens superstitieux...

FIGARO – Tu ris, friponne! Ah! s'il y avait moyen d'attraper ce grand trompeur, de le faire donner dans un bon piège, et d'empocher son or[2]!

SUZANNE – De l'intrigue et de l'argent; te voilà dans ta sphère.

FIGARO – Ce n'est pas la honte qui me retient.

SUZANNE – La crainte?

FIGARO – Ce n'est rien d'entreprendre une chose dangereuse, mais d'échapper au péril en la menant à bien: car d'entrer chez quelqu'un la nuit, de lui souffler[3] sa femme et d'y recevoir cent coups de fouet pour la peine, il n'est rien plus aisé; mille sots coquins l'ont fait. Mais...

On sonne de l'intérieur.

SUZANNE – Voilà Madame éveillée; elle m'a bien recommandé d'être la première à lui parler le matin de mes noces.

FIGARO – Y a-t-il encore quelque chose là-dessous?

SUZANNE – Le berger dit que cela porte bonheur aux épouses délaissées. Adieu, mon petit Fi, Fi, Figaro. Rêve à notre affaire.

passage analysé

notes

1. **mon front fertilisé**: traditionnellement, les maris cocus sont représentés avec des cornes au front.

2. **son or**: la dot promise à Suzanne.
3. **souffler**: voler.

FIGARO – Pour m'ouvrir l'esprit, donne un petit baiser.

SUZANNE – À mon amant aujourd'hui? Je t'en souhaite! Et qu'en dirait demain mon mari?

85 *Figaro l'embrasse.*

SUZANNE – Hé bien! hé bien!

FIGARO – C'est que tu n'as pas d'idée de mon amour.

SUZANNE, *se défripant* – Quand cesserez-vous, importun, de m'en parler du matin au soir?

90 FIGARO, *mystérieusement* – Quand je pourrai te le prouver du soir jusqu'au matin.

On sonne une seconde fois.

SUZANNE, *de loin, les doigts unis sur sa bouche* – Voilà votre baiser, monsieur; je n'ai plus rien à vous.

95 FIGARO *court après elle* – Oh! mais ce n'est pas ainsi que vous l'avez reçu…

Scène 2

FIGARO, *seul.*

La charmante fille! toujours riante, verdissante[1], pleine de gaieté, d'esprit, d'amour et de délices! mais sage! *(Il marche vivement en se frottant les mains.)* Ah, Monseigneur! mon cher
100 Monseigneur! vous voulez m'en donner... à garder[2]? Je cherchais aussi pourquoi, m'ayant nommé concierge, il m'emmène à son ambassade et m'établit courrier de dépêches. J'entends, Monsieur le Comte; trois promotions à la fois: vous, compagnon ministre; moi, casse-cou politique, et Suzon, dame du
105 lieu, l'ambassadrice de poche, et puis fouette courrier! Pendant que je galoperais d'un côté, vous feriez faire de l'autre à ma belle un joli chemin! Me crottant, m'échinant pour la gloire de votre famille; vous, daignant concourir à l'accroissement de la mienne! Quelle douce réciprocité! Mais, Monseigneur, il y a de
110 l'abus. Faire à Londres, en même temps, les affaires de votre maître et celles de votre valet! représenter à la fois le roi et moi dans une Cour étrangère, c'est trop de moitié, c'est trop. – Pour toi, Bazile! fripon, mon cadet! je veux t'apprendre à clocher devant les boiteux[3]; je veux... Non, dissimulons avec eux pour
115 les enferrer[4] l'un par l'autre. Attention sur la journée, monsieur Figaro! D'abord avancer l'heure de votre petite fête, pour épouser plus sûrement; écarter une Marceline qui de vous est friande en diable; empocher l'or et les présents; donner le change aux petites passions de Monsieur le Comte; étriller[5]
120 rondement monsieur du Bazile et...

Scène 3

MARCELINE, BARTHOLO, FIGARO

FIGARO *s'interrompt* – Héééé[1], voilà le gros docteur, la fête sera complète. Hé, bonjour, cher docteur de mon cœur. Est-ce ma noce avec Suzon qui vous attire au château?

125 BARTHOLO, *avec dédain* – Ah! mon cher monsieur, point du tout!

FIGARO – Cela serait bien généreux!

BARTHOLO – Certainement, et par trop sot.

FIGARO – Moi qui eus le malheur de troubler la vôtre[2]!

BARTHOLO – Avez-vous autre chose à nous dire?

130 FIGARO – On n'aura pas pris soin de votre mule[3]!

BARTHOLO, *en colère* – Bavard enragé! laissez-nous.

FIGARO –Vous vous fâchez, docteur? Les gens de votre état sont bien durs! Pas plus de pitié des pauvres animaux... en vérité... que si c'étaient des hommes! Adieu, Marceline: avez-vous
135 toujours envie de plaider contre moi?

Pour n'aimer pas, faut-il qu'on se haïsse[4]?

Je m'en rapporte au docteur.

BARTHOLO – Qu'est-ce que c'est?

FIGARO – Elle vous le contera de reste[5].

140 *Il sort.*

Scène 4

<small>MARCELINE, BARTHOLO</small>

BARTHOLO *le regarde aller* – Ce drôle est toujours le même! Et à moins qu'on ne l'écorche vif, je prédis qu'il mourra dans la peau du plus fier insolent...

145 MARCELINE *le retourne* – Enfin, vous voilà donc, éternel docteur! toujours si grave et compassé[1] qu'on pourrait mourir en attendant vos secours, comme on s'est marié jadis, malgré vos précautions[2].

BARTHOLO – Toujours amère et provocante! Eh bien, qui rend donc ma présence au château si nécessaire? Monsieur le 150 Comte a-t-il eu quelque accident?

MARCELINE – Non, docteur.

BARTHOLO – La Rosine, sa trompeuse Comtesse, est-elle incommodée, Dieu merci?

MARCELINE – Elle languit[3].

155 BARTHOLO – Et de quoi?

MARCELINE – Son mari la néglige.

BARTHOLO, *avec joie* – Ah, le digne époux qui me venge!

MARCELINE – On ne sait comment définir le Comte; il est jaloux et libertin[4].

160 BARTHOLO – Libertin par ennui, jaloux par vanité; cela va sans dire.

MARCELINE – Aujourd'hui, par exemple, il marie notre Suzanne à son Figaro, qu'il comble en faveur de cette union...

notes
....

1. compassé: affecté, guindé.
2. précautions: Bartholo, maladivement jaloux, tenait Rosine enfermée, mais elle a fini par lui échapper.

3. languit: est dans un état prolongé d'affaiblissement physique ou d'abattement moral.
4. libertin: qui s'adonne sans retenue aux plaisirs charnels, et est déréglé dans sa conduite.

165 BARTHOLO – Que Son Excellence a rendue nécessaire[1]!

MARCELINE – Pas tout à fait; mais dont Son Excellence voudrait égayer en secret l'événement avec l'épousée...

BARTHOLO – De monsieur Figaro? C'est un marché qu'on peut conclure avec lui.

MARCELINE – Bazile assure que non.

170 BARTHOLO – Cet autre maraud[2] loge ici? C'est une caverne[3]! Eh, qu'y fait-il?

MARCELINE – Tout le mal dont il est capable. Mais le pis que j'y trouve est cette ennuyeuse passion qu'il a pour moi depuis si longtemps.

175 BARTHOLO – Je me serais débarrassé vingt fois de sa poursuite.

MARCELINE – De quelle manière?

BARTHOLO – En l'épousant.

MARCELINE – Railleur fade et cruel, que ne vous débarrassez-vous de la mienne à ce prix? Ne le devez-vous pas? Où est le
180 souvenir de vos engagements? Qu'est devenu celui de notre petit Emmanuel, ce fruit d'un amour oublié, qui devait nous conduire à des noces?

BARTHOLO, *ôtant son chapeau* – Est-ce pour écouter ces sornettes que vous m'avez fait venir de Séville? Et cet accès d'hymen[4]
185 qui vous reprend si vif...

MARCELINE – Eh bien! n'en parlons plus. Mais, si rien n'a pu vous porter à la justice de m'épouser, aidez-moi donc du moins à en épouser un autre.

BARTHOLO – Ah! volontiers: parlons. Mais quel mortel
190 abandonné du ciel et des femmes?...

notes ....

1. **nécessaire:** persiflage de Bartholo. Il insinue que Suzanne serait enceinte du Comte.
2. **maraud:** personne qui ne mérite que le mépris.

3. **une caverne:** un repaire de brigands.
4. **hymen:** mariage.

99

MARCELINE – Eh! qui pourrait-ce être, docteur, sinon le beau, le gai, l'aimable Figaro?

BARTHOLO – Ce fripon-là?

MARCELINE – Jamais fâché, toujours en belle humeur; donnant
195 le présent à la joie, et s'inquiétant de l'avenir tout aussi peu que du passé; sémillant[1], généreux! généreux...

BARTHOLO – Comme un voleur.

MARCELINE – Comme un seigneur. Charmant enfin; mais c'est le plus grand monstre!

200 BARTHOLO – Et sa Suzanne?

MARCELINE – Elle ne l'aurait pas, la rusée, si vous vouliez m'aider, mon petit docteur, à faire valoir un engagement que j'ai de lui.

BARTHOLO – Le jour de son mariage?

205 MARCELINE – On en rompt de plus avancés: et si je ne craignais d'éventer un petit secret des femmes!...

BARTHOLO – En ont-elles pour le médecin du corps?

MARCELINE – Ah! vous savez que je n'en ai pas pour vous. Mon sexe[2] est ardent, mais timide: un certain charme a beau nous
210 attirer vers le plaisir, la femme la plus aventurée[3] sent en elle une voix qui lui dit: Sois belle si tu peux, sage si tu veux; mais sois considérée, il le faut. Or, puisqu'il faut être au moins considérée, que toute femme en sent l'importance, effrayons d'abord la Suzanne[4] sur la divulgation des offres qu'on lui
215 fait[5].

BARTHOLO – Où cela mènera-t-il?

---

notes

1. **sémillant**: très vif et gai.
2. **Mon sexe**: le sexe féminin.
3. **aventurée**: audacieuse.

4. **la Suzanne**: l'article est péjoratif.
5. **effrayons [...] fait**: rendons publique l'attirance du Comte pour Suzanne.

MARCELINE – Que la honte la prenant au collet, elle continuera de refuser le Comte, lequel, pour se venger, appuiera l'opposition que j'ai faite à son mariage ; alors le mien devient certain.

220 BARTHOLO – Elle a raison. Parbleu ! c'est un bon tour que de faire épouser ma vieille gouvernante au coquin qui fit enlever ma jeune maîtresse.

MARCELINE, *vite* – Et qui croit ajouter à ses plaisirs en trompant mes espérances.

225 BARTHOLO, *vite* – Et qui m'a volé dans le temps cent écus que j'ai sur le cœur.

MARCELINE – Ah ! quelle volupté !...

BARTHOLO – De punir un scélérat...

MARCELINE – De l'épouser, docteur, de l'épouser !

Scène 5   MARCELINE, BARTHOLO, SUZANNE

230 SUZANNE, *un bonnet de femme de chambre avec un large ruban dans la main, une robe de femme sur le bras* – L'épouser, l'épouser ! Qui donc ? Mon Figaro ?

MARCELINE, *aigrement* – Pourquoi non ? Vous l'épousez bien !

BARTHOLO, *riant* – Le bon argument de femme en colère ! Nous
235 parlions, belle Suzon, du bonheur qu'il aura de vous posséder.

MARCELINE – Sans compter Monseigneur, dont on ne parle pas.

SUZANNE, *une révérence* – Votre servante, Madame ; il y a toujours quelque chose d'amer dans vos propos.

240 MARCELINE, *une révérence* – Bien la vôtre, Madame ; où donc est l'amertume ? N'est-il pas juste qu'un libéral seigneur partage un peu la joie qu'il procure[1] à ses gens ?

SUZANNE – Qu'il procure ?

MARCELINE – Oui, Madame.

245 SUZANNE – Heureusement, la jalousie de Madame est aussi connue que ses droits sur Figaro sont légers.

MARCELINE – On eût pu les rendre plus forts en les cimentant à la façon de Madame.

SUZANNE – Oh ! cette façon, Madame, est celle des dames savantes.

250 MARCELINE – Et l'enfant ne l'est pas du tout ! Innocente comme un vieux juge[2] !

BARTHOLO, *attirant Marceline* – Adieu, jolie fiancée de notre Figaro.

MARCELINE, *une révérence* – L'accordée[3] secrète de Monseigneur.

255 SUZANNE, *une révérence* – Qui vous estime beaucoup, Madame.

MARCELINE, *une révérence* – Me fera-t-elle aussi l'honneur de me chérir un peu, Madame ?

SUZANNE, *une révérence* – À cet égard, Madame n'a rien à désirer.

MARCELINE, *une révérence* – C'est une si jolie personne que
260 Madame !

SUZANNE, *une révérence* – Eh ! mais assez pour désoler Madame.

MARCELINE, *une révérence* – Surtout bien respectable !

notes

1. **procure :** jeu de mots sur le sens premier du verbe. Il s'agit de satisfaire quelqu'un en agissant à sa place.
2. **Innocente comme un vieux juge :** c'est-à-dire extrêmement rusée.

3. **accordée :** liée par un accord. Marceline sous-entend que Suzanne et le Comte se sont entendus pour tromper Figaro.

SUZANNE, *une révérence* – C'est aux duègnes[1] à l'être.

MARCELINE, *outrée* – Aux duègnes! aux duègnes[2]!

265 BARTHOLO, *l'arrêtant* – Marceline!

MARCELINE – Allons, docteur, car je n'y tiendrais pas. Bonjour, Madame.

Une révérence.

Scène 6 SUZANNE, *seule.*

270 Allez, Madame! allez, pédante! je crains aussi peu vos efforts que je méprise vos outrages. —Voyez cette vieille sibylle[3]! parce qu'elle a fait quelques études et tourmenté la jeunesse de Madame, elle veut tout dominer au château! *(Elle jette la robe qu'elle tient sur une chaise.)* Je ne sais plus ce que je venais prendre.

Scène 7 SUZANNE, CHÉRUBIN

275 CHÉRUBIN, *accourant* – Ah! Suzon, depuis deux heures j'épie le moment de te trouver seule. Hélas! tu te maries, et moi je vais partir.

---

notes

1. duègnes: gouvernantes ou femmes âgées qui étaient chargées, en Espagne, de veiller sur une jeune fille, une jeune femme de noble condition.
2. Dans *Le barbier de Séville*, Marceline était effectivement la duègne de Rosine. Cet échange mordant rappelle celui qui a lieu entre Célimène et Arsinoë, dans *Le misanthrope* de Molière (III, 4).
3. sibylle: à l'origine, femme inspirée de l'Antiquité romaine qui transmettait les oracles des dieux. Au XVIIIe siècle, c'est un synonyme de *pédante*.

SUZANNE – Comment mon mariage éloigne-t-il du château le premier page de Monseigneur ?

280 CHÉRUBIN, *piteusement* – Suzanne, il[1] me renvoie.

SUZANNE *le contrefait* – Chérubin, quelle sottise !

CHÉRUBIN – Il m'a trouvé hier au soir chez ta cousine Fanchette, à qui je faisais répéter son petit rôle d'innocente, pour la fête de ce soir : il s'est mis dans une fureur en me
285 voyant ! — *Sortez,* m'a-t-il dit, *petit...* Je n'ose pas prononcer devant une femme le gros mot qu'il a dit : *Sortez, et demain vous ne coucherez pas au château.* Si Madame, si ma belle marraine ne parvient pas à l'apaiser, c'est fait, Suzon, je suis à jamais privé du bonheur de te voir.

290 SUZANNE – De me voir ! moi ? c'est mon tour ! Ce n'est donc plus pour ma maîtresse que vous soupirez en secret ?

CHÉRUBIN – Ah ! Suzon, qu'elle est noble et belle ! mais qu'elle est imposante !

SUZANNE – C'est-à-dire que je ne le suis pas, et qu'on peut oser
295 avec moi...

CHÉRUBIN – Tu sais trop bien, méchante, que je n'ose pas oser. Mais que tu es heureuse ! à tous moments la voir, lui parler, l'habiller le matin et la déshabiller le soir, épingle à épingle... Ah ! Suzon ! je donnerais... Qu'est-ce que tu tiens donc là ?

300 SUZANNE, *raillant* – Hélas ! l'heureux bonnet et le fortuné ruban qui renferment la nuit les cheveux de cette belle marraine...

CHÉRUBIN, *vivement* – Son ruban de nuit ! donne-le-moi, mon cœur.

---

note ....

| **1. il** : Monseigneur, c'est-à-dire le Comte.

104

SUZANNE, *le retirant* – Eh! que non pas! *Son cœur!* Comme
305   il est familier donc! Si ce n'était pas un morveux sans
conséquence... *(Chérubin arrache le ruban.)* Ah! le ruban!

CHÉRUBIN *tourne autour du grand fauteuil* – Tu diras qu'il est
égaré, gâté; qu'il est perdu. Tu diras tout ce que tu voudras.

SUZANNE *tourne après lui* – Oh! dans trois ou quatre ans, je
310   prédis que vous serez le plus grand petit vaurien!... Rendez-
vous le ruban?

Elle veut le reprendre.

CHÉRUBIN *tire une romance*[1] *de sa poche* – Laisse, ah! laisse-le-
moi, Suzon; je te donnerai ma romance; et pendant que le
315   souvenir de ta belle maîtresse attristera tous mes moments, le
tien y versera le seul rayon de joie qui puisse encore amuser
mon cœur.

SUZANNE *arrache la romance* – Amuser votre cœur, petit scélérat!
vous croyez parler à votre Fanchette. On vous surprend chez
320   elle, et vous soupirez pour Madame; et vous m'en contez à
moi, par-dessus le marché!

CHÉRUBIN, *exalté* – Cela est vrai, d'honneur! Je ne sais plus ce
que je suis; mais depuis quelque temps je sens ma poitrine
agitée; mon cœur palpite au seul aspect d'une femme; les
325   mots *amour* et *volupté* le font tressaillir et le troublent. Enfin le
besoin de dire à quelqu'un *Je vous aime*, est devenu pour moi
si pressant que je le dis tout seul, en courant dans le parc, à ta
maîtresse, à toi, aux arbres, aux nuages, au vent qui les emporte
avec mes paroles perdues. Hier je rencontrai Marceline...

note ....

| **1.** *romance*: chanson sur un sujet tendre et touchant, de caractère facile.

330   SUZANNE, *riant* – Ah! ah! ah! ah!

CHÉRUBIN – Pourquoi non? elle est femme! elle est fille! Une fille! une femme! ah que ces noms sont doux! qu'ils sont intéressants!

SUZANNE – Il devient fou!

335   CHÉRUBIN – Fanchette est douce; elle m'écoute au moins; tu ne l'es pas, toi!

SUZANNE – C'est bien dommage; écoutez donc Monsieur!

Elle veut arracher le ruban.

CHÉRUBIN *tourne en fuyant* – Ah! ouiche[1]! on ne l'aura, vois-tu,
340   qu'avec ma vie. Mais si tu n'es pas contente du prix, j'y joindrai mille baisers.

Il lui donne chasse à son tour.

SUZANNE *tourne en fuyant* – Mille soufflets, si vous approchez. Je vais m'en plaindre à ma maîtresse; et loin de supplier pour
345   vous, je dirai moi-même à Monseigneur: C'est bien fait, Monseigneur; chassez-nous ce petit voleur; renvoyez à ses parents un petit mauvais sujet qui se donne les airs d'aimer Madame, et qui veut toujours m'embrasser par contrecoup.

CHÉRUBIN *voit le Comte entrer: il se jette derrière le fauteuil avec*
350   *effroi* – Je suis perdu!

SUZANNE – Quelle frayeur[2]?

---

notes ....

1. ouiche: interjection familière qui exprime un refus.

2. Quelle frayeur?: comme l'indique la didascalie de la scène suivante, Suzanne n'a pas encore vu le Comte et ne comprend pas le soudain effroi de Chérubin.

Scène 8

SUZANNE, LE COMTE,
CHÉRUBIN, *caché.*

SUZANNE *aperçoit le Comte* – Ah !...

Elle s'approche du fauteuil pour masquer Chérubin.

355 LE COMTE *s'avance* – Tu es émue, Suzon ! tu parlais seule, et ton petit cœur paraît dans une agitation... bien pardonnable, au reste, un jour comme celui-ci.

SUZANNE, *troublée* – Monseigneur, que me voulez-vous ? Si l'on vous trouvait avec moi...

360 LE COMTE – Je serais désolé qu'on m'y surprît ; mais tu sais tout l'intérêt que je prends à toi. Bazile ne t'a pas laissé ignorer mon amour. Je n'ai rien qu'un instant pour t'expliquer mes vues ; écoute.

Il s'assied dans le fauteuil.

SUZANNE, *vivement* – Je n'écoute rien.

365 LE COMTE *lui prend la main* – Un seul mot. Tu sais que le roi m'a nommé son ambassadeur à Londres. J'emmène avec moi Figaro ; je lui donne un excellent poste ; et, comme le devoir d'une femme est de suivre son mari...

SUZANNE – Ah ! si j'osais parler !

370 LE COMTE *la rapproche de lui* – Parle, parle, ma chère ; use aujourd'hui d'un droit que tu prends sur moi pour la vie.

SUZANNE, *effrayée* – Je n'en veux point, Monseigneur, je n'en veux point. Quittez-moi, je vous prie.

LE COMTE – Mais dis auparavant.

375 SUZANNE, *en colère* – Je ne sais plus ce que je disais.

LE COMTE – Sur le devoir des femmes.

SUZANNE – Eh bien! lorsque Monseigneur enleva la sienne de chez le docteur, et qu'il l'épousa par amour; lorsqu'il abolit pour elle un certain affreux droit du seigneur...

380 LE COMTE, *gaiement* – Qui faisait bien de la peine aux filles! Ah! Suzette! ce droit charmant! Si tu venais en jaser sur la brune[1] au jardin, je mettrais un tel prix à cette légère faveur...

BAZILE *parle en dehors* – Il n'est pas chez lui, Monseigneur.

LE COMTE *se lève* – Quelle est cette voix!

385 SUZANNE – Que je suis malheureuse!

LE COMTE – Sors, pour qu'on n'entre pas.

SUZANNE, *troublée* – Que je vous laisse ici!

BAZILE *crie en dehors* – Monseigneur était chez Madame, il en est sorti; je vais voir.

390 LE COMTE – Et pas un lieu pour se cacher! Ah! derrière ce fauteuil... assez mal; mais renvoie-le bien vite.

Suzanne lui barre le chemin; il la pousse doucement, elle recule, et se met ainsi entre lui et le petit page; mais, pendant que le Comte s'abaisse et prend sa place, Chérubin tourne et se jette effrayé sur le 395 *fauteuil à genoux et s'y blottit. Suzanne prend la robe qu'elle apportait, en couvre le page, et se met devant le fauteuil.*

---

note

| **1. la brune:** moment où le jour baisse.

Scène 9

Le Comte *et* Chérubin *cachés*,
Suzanne, Bazile

Bazile – N'auriez-vous pas vu Monseigneur, mademoiselle !

Suzanne, *brusquement* – Hé ! pourquoi l'aurais-je vu ! Laissez-moi.

400 Bazile *s'approche* – Si vous étiez plus raisonnable, il n'y aurait rien d'étonnant à ma question. C'est Figaro qui le cherche.

Suzanne – Il cherche donc l'homme qui lui veut le plus de mal après vous !

Le Comte, *à part* – Voyons un peu comme il me sert.

405 Bazile – Désirer du bien à une femme, est-ce vouloir du mal à son mari !

Suzanne – Non, dans vos affreux principes, agent de corruption !

Bazile – Que vous demande-t-on ici que vous n'alliez
410 prodiguer à un autre ! Grâce à la douce cérémonie, ce qu'on vous défendait hier, on vous le prescrira demain.

Suzanne – Indigne !

Bazile – De toutes les choses sérieuses le mariage étant la plus bouffonne, j'avais pensé...

415 Suzanne, *outrée* – Des horreurs ! Qui vous permet d'entrer ici !

Bazile – Là, là, mauvaise ! Dieu vous apaise ! Il n'en sera que ce que vous voulez ; mais ne croyez pas non plus que je regarde monsieur Figaro comme l'obstacle qui nuit à Monseigneur ; et sans le petit page...

420 Suzanne, *timidement* – Don[1] Chérubin !

---

note ....

| 1. **Don** : titre de noblesse espagnole. Un page est toujours noble.

BAZILE *la contrefait* – *Cherubino di amore*[1], qui tourne autour de vous sans cesse, et qui ce matin encore rôdait ici pour y entrer, quand je vous ai quittée. Dites que cela n'est pas vrai!

SUZANNE – Quelle imposture! Allez-vous-en, méchant homme!

425 BAZILE – On est un méchant homme, parce qu'on y voit clair. N'est-ce pas pour vous aussi cette romance dont il fait mystère!

SUZANNE, *en colère* – Ah! oui, pour moi!...

BAZILE – À moins qu'il ne l'ait composée pour Madame! En
430 effet, quand il sert à table, on dit qu'il la regarde avec des yeux!... Mais, peste, qu'il ne s'y joue pas[2]! Monseigneur est *brutal* sur l'article[3].

SUZANNE, *outrée* – Et vous bien scélérat, d'aller semant de pareils bruits pour perdre un malheureux enfant tombé dans la
435 disgrâce de son maître.

BAZILE – L'ai-je inventé! Je le dis, parce que tout le monde en parle.

LE COMTE *se lève* – Comment, tout le monde en parle!

SUZANNE – Ah ciel!

440 BAZILE – Ha! ha!

LE COMTE – Courez, Bazile, et qu'on le chasse.

BAZILE – Ah! que je suis fâché d'être entré!

SUZANNE, *troublée* – Mon Dieu! Mon Dieu!

LE COMTE, *à Bazile* – Elle est saisie. Asseyons-la dans ce fauteuil.

445 SUZANNE *le repousse vivement* – Je ne veux pas m'asseoir. Entrer ainsi librement, c'est indigne!

notes ....

1. ***Cherubino di amore*:** Chérubin d'amour (italien).
2. **qu'il ne s'y joue pas:** qu'il ne s'y risque pas.

3. **sur l'article:** sur le sujet. Le Comte est très jaloux.

LE COMTE – Nous sommes deux avec toi, ma chère. Il n'y a plus le moindre danger!

450 BAZILE – Moi je suis désolé de m'être égayé sur le page, puisque vous l'entendiez. Je n'en usais ainsi que pour pénétrer ses sentiments, car au fond...

LE COMTE – Cinquante pistoles[1], un cheval, et qu'on le renvoie à ses parents.

BAZILE – Monseigneur, pour un badinage!

455 LE COMTE – Un petit libertin que j'ai surpris encore hier avec la fille du jardinier.

BAZILE – Avec Fanchette!

LE COMTE – Et dans sa chambre.

SUZANNE, *outrée* – Où Monseigneur avait sans doute affaire aussi!

460 LE COMTE, *gaiement* – J'en aime assez la remarque.

BAZILE – Elle est d'un bon augure[2].

LE COMTE, *gaiement* – Mais non! j'allais chercher ton oncle Antonio, mon ivrogne de jardinier, pour lui donner des ordres. Je frappe, on est longtemps à m'ouvrir; ta cousine a l'air
465 empêtré; je prends un soupçon, je lui parle, et tout en causant j'examine. Il y avait derrière la porte une espèce de rideau, de portemanteau, de je ne sais pas quoi, qui couvrait des hardes[3]; sans faire semblant de rien, je vais doucement, doucement lever ce rideau[4] *(pour imiter le geste, il lève la robe du fauteuil)*, et
470 je vois... *(Il aperçoit le page.)* Ah!...

---

notes

1. **pistoles**: monnaie d'or ancienne, de valeur variable. À l'origine, monnaie espagnole et italienne.
2. **d'un bon augure**: phrase à double sens. Elle peut à la fois signifier que Suzanne interprète bien, comme un augure, les signes, c'est-à-dire les sous-entendus, mais

également que sa perspicacité peu innocente laisse présager au Comte de doux moments.
3. **hardes**: vêtements (ce n'est pas un terme péjoratif).
4. Suzanne. Chérubin dans le fauteuil. Le Comte. Bazile. *(Note de Beaumarchais.)*

Chérubin démasqué par le Comte.

BAZILE – Ha! ha!

LE COMTE – Ce tour-ci vaut l'autre.

BAZILE – Encore mieux.

LE COMTE, *à Suzanne* – À merveille, mademoiselle : à peine
475   fiancée, vous faites de ces apprêts[1] ! C'était pour recevoir mon
page que vous désiriez d'être seule ! Et vous, monsieur, qui ne
changez point de conduite, il vous manquait de vous adresser,
sans respect pour votre marraine, à sa première camariste, à la
femme de votre ami ! Mais je ne souffrirai pas que Figaro,
480   qu'un homme que j'estime et que j'aime soit victime d'une
pareille tromperie. Était-il avec vous, Bazile !

SUZANNE, *outrée* – Il n'y a ni tromperie ni victime ; il était là
lorsque vous me parliez.

LE COMTE, *emporté* – Puisses-tu mentir en le disant ! Son plus
485   cruel ennemi n'oserait lui souhaiter ce malheur.

SUZANNE – Il me priait d'engager Madame à vous demander sa
grâce. Votre arrivée l'a si fort troublé qu'il s'est masqué de ce
fauteuil.

LE COMTE, *en colère* – Ruse d'enfer ! Je m'y suis assis en entrant.

490 CHÉRUBIN – Hélas ! Monseigneur, j'étais tremblant derrière.

LE COMTE – Autre fourberie ! Je viens de m'y placer moi-même.

CHÉRUBIN – Pardon, mais c'est alors que je me suis blotti dedans.

LE COMTE, *plus outré* – C'est donc une couleuvre que ce petit...
serpent-là ! Il nous écoutait !

495 CHÉRUBIN – Au contraire, Monseigneur, j'ai fait ce que j'ai pu
pour ne rien entendre[2].

LE COMTE – Ô perfidie ! *(À Suzanne.)* Tu n'épouseras pas Figaro.

notes

1. apprêts : préparatifs. La valeur du pronom démonstratif ces est péjorative.

2. entendre : jeu de mots. Entendre signifie à la fois « percevoir par l'ouïe » et « comprendre ».

BAZILE – Contenez-vous, on vient.

LE COMTE, *tirant Chérubin du fauteuil et le mettant sur ses pieds* –
500   Il resterait là devant toute la terre !

Scène 10

CHÉRUBIN, SUZANNE, FIGARO,
LA COMTESSE, LE COMTE,
FANCHETTE, BAZILE

*Beaucoup de valets, paysannes,
paysans vêtus de blanc.*

FIGARO, *tenant une toque de femme, garnie de plumes blanches et de
rubans blancs, parle à la Comtesse* – Il n'y a que vous, Madame,
qui puissiez nous obtenir cette faveur.

LA COMTESSE – Vous le voyez, monsieur le Comte, ils me supposent
505   un crédit que je n'ai point, mais comme leur demande n'est pas
déraisonnable...

LE COMTE, *embarrassé* – Il faudrait qu'elle le fût beaucoup...

FIGARO, *bas à Suzanne* – Soutiens bien mes efforts.

SUZANNE, *bas à Figaro* – Qui ne mèneront à rien.

510   FIGARO, *bas* – Va toujours.

LE COMTE, *à Figaro* – Que voulez-vous ?

FIGARO – Monseigneur, vos vassaux[1], touchés de l'abolition
d'un certain droit fâcheux que votre amour pour Madame...

LE COMTE – Hé bien, ce droit n'existe plus. Que veux-tu dire ?...

515   FIGARO, *malignement* – Qu'il est bien temps que la vertu d'un si
bon maître éclate ; elle m'est d'un tel avantage aujourd'hui que
je désire être le premier à la célébrer à mes noces.

note ....

| **1. vassaux :** serviteurs.

LE COMTE, *plus embarrassé* – Tu te moques, ami! L'abolition d'un droit honteux n'est que l'acquit[1] d'une dette envers l'honnêteté. Un Espagnol peut vouloir conquérir la beauté par des soins[2]; mais en exiger le premier, le plus doux emploi, comme une servile redevance[3], ah! c'est la tyrannie d'un Vandale[4], et non le droit avoué d'un noble Castillan[5].

FIGARO, *tenant Suzanne par la main* – Permettez donc que cette jeune créature, de qui votre sagesse a préservé l'honneur, reçoive de votre main, publiquement, la toque virginale, ornée de plumes et de rubans blancs, symbole de la pureté de vos intentions; adoptez-en la cérémonie pour tous les mariages, et qu'un quatrain chanté en chœur rappelle à jamais le souvenir...

LE COMTE, *embarrassé* – Si je ne savais pas qu'amoureux, poète et musicien sont trois titres d'indulgence pour toutes les folies...

FIGARO – Joignez-vous à moi, mes amis!

TOUS ENSEMBLE – Monseigneur! Monseigneur!

SUZANNE, *au comte* – Pourquoi fuir un éloge que vous méritez si bien?

LE COMTE, *à part* – La perfide!

FIGARO – Regardez-la donc, Monseigneur. Jamais plus jolie fiancée ne montrera mieux la grandeur de votre sacrifice.

SUZANNE – Laisse là ma figure, et ne vantons que sa vertu.

LE COMTE, *à part* – C'est un jeu que tout ceci.

LA COMTESSE – Je me joins à eux, monsieur le Comte; et cette cérémonie me sera toujours chère, puisqu'elle doit son motif à l'amour charmant que vous aviez pour moi.

notes

1. **l'acquit**: la reconnaissance écrite d'un paiement.
2. **soins**: attentions galantes.
3. **servile redevance**: dette que l'inférieur doit au supérieur.

4. **Vandale**: envahisseur germain qui a la réputation de détruire et de mutiler les objets de valeur.
5. **Castillan**: habitant de la Castille, région espagnole, cœur du royaume.

545 LE COMTE – Que j'ai toujours, Madame ; et c'est à ce titre que je me rends.

TOUS ENSEMBLE – Vivat[1] !

LE COMTE, *à part* – Je suis pris. *(Haut.)* Pour que la cérémonie eût un peu plus d'éclat, je voudrais seulement qu'on la remît à tantôt. *(À part.)* Faisons vite chercher Marceline.

550 FIGARO, *à Chérubin* – Eh bien, espiègle, vous n'applaudissez pas ?

SUZANNE – Il est au désespoir ; Monseigneur le renvoie.

LA COMTESSE – Ah ! Monsieur, je demande sa grâce.

LE COMTE – Il ne la mérite point.

LA COMTESSE – Hélas ! il est si jeune !

555 LE COMTE – Pas tant que vous le croyez.

CHÉRUBIN, *tremblant* – Pardonner généreusement n'est pas le droit du seigneur auquel vous avez renoncé en épousant Madame.

LA COMTESSE – Il n'a renoncé qu'à celui qui vous affligeait tous.

SUZANNE – Si Monseigneur avait cédé le droit de pardonner, ce
560 serait sûrement le premier qu'il voudrait racheter en secret.

LE COMTE, *embarrassé* – Sans doute.

LA COMTESSE – Eh ! pourquoi le racheter ?

CHÉRUBIN, *au Comte* – Je fus léger dans ma conduite, il est vrai, Monseigneur ; mais jamais la moindre indiscrétion dans mes
565 paroles...

LE COMTE, *embarrassé* – Eh bien, c'est assez...

FIGARO – Qu'entend-il[2] ?

---

notes

1. Vivat ! : Qu'il vive ! Subjonctif latin ; interjection qui exprime les applaudissements.

2. Qu'entend-il ? : Que veut-il dire ?

LE COMTE, *vivement* – C'est assez, c'est assez. Tout le monde exige son pardon, je l'accorde ; et j'irai plus loin : je lui donne une compagnie dans ma légion.

TOUS ENSEMBLE – Vivat !

LE COMTE – Mais c'est à condition qu'il partira sur-le-champ pour joindre en Catalogne[1].

FIGARO – Ah ! Monseigneur, demain.

LE COMTE *insiste* – Je le veux.

CHÉRUBIN – J'obéis.

LE COMTE – Saluez votre marraine, et demandez sa protection.

Chérubin met un genou en terre devant la Comtesse, et ne peut parler.

LA COMTESSE, *émue* – Puisqu'on ne peut vous garder seulement aujourd'hui, partez, jeune homme. Un nouvel état vous appelle ; allez le remplir dignement. Honorez votre bienfaiteur. Souvenez-vous de cette maison, où votre jeunesse a trouvé tant d'indulgence. Soyez soumis, honnête et brave ; nous prendrons part à vos succès.

Chérubin se relève et retourne à sa place.

LE COMTE – Vous êtes bien émue, Madame !

LA COMTESSE – Je ne m'en défends pas. Qui sait le sort d'un enfant jeté dans une carrière aussi dangereuse ! Il est allié de mes parents ; et de plus, il est mon filleul.

LE COMTE, *à part* – Je vois que Bazile avait raison. *(Haut.)* Jeune homme, embrassez Suzanne... pour la dernière fois.

FIGARO – Pourquoi cela, Monseigneur ? Il viendra passer ses hivers. Baise-moi donc aussi, capitaine ! *(Il l'embrasse.)* Adieu,

note

| **1. Catalogne :** région du nord-est de l'Espagne. L'action se déroule en Andalousie, au sud.

595 mon petit Chérubin. Tu vas mener un train de vie bien différent, mon enfant : dame ! tu ne rôderas plus tout le jour au quartier des femmes, plus d'échaudés[1], de goûters à la crème ; plus de main-chaude[2] ou de colin-maillard. De bons soldats, morbleu ! basanés, mal vêtus ; un grand fusil bien lourd : tourne à droite, tourne à gauche, en avant, marche à la gloire, et ne va pas
600 broncher en chemin, à moins qu'un bon coup de feu...

SUZANNE – Fi donc[3], l'horreur !

LA COMTESSE – Quel pronostic !

LE COMTE – Où est donc Marceline ! Il est bien singulier qu'elle ne soit pas des vôtres !

605 FANCHETTE – Monseigneur, elle a pris le chemin du bourg, par le petit sentier de la ferme.

LE COMTE – Et elle en reviendra ?...

BAZILE – Quand il plaira à Dieu.

FIGARO – S'il Lui plaisait qu'il ne Lui plût jamais...

610 FANCHETTE – Monsieur le Docteur lui donnait le bras.

LE COMTE, *vivement* – Le docteur est ici ?

BAZILE – Elle s'en est d'abord emparée...

LE COMTE, *à part* – Il ne pouvait venir plus à propos.

FANCHETTE – Elle avait l'air bien échauffée ; elle parlait tout
615 haut en marchant, puis elle s'arrêtait, et faisait comme ça de grands bras[4]... et monsieur le Docteur lui faisait comme ça de la main, en l'apaisant : elle paraissait si courroucée ! elle nommait mon cousin Figaro.

LE COMTE *lui prend le menton* – Cousin... futur.

---

notes

1. **échaudés** : petits beignets plongés dans l'eau bouillante.
2. **main-chaude** : jeu de société.
3. **Fi donc** : expression qui marque le mépris.
4. **de grands bras** : de grands gestes avec les bras.

620   FANCHETTE, *montrant Chérubin* – Monseigneur, nous avez-vous pardonné d'hier ?...

LE COMTE *interrompt* – Bonjour, bonjour, petite.

FIGARO – C'est son chien d'amour qui la berce ; elle aurait troublé notre fête.

625   LE COMTE, *à part* – Elle la troublera, je t'en réponds. *(Haut.)* Allons, Madame, entrons. Bazile, vous passerez chez moi.

SUZANNE, *à Figaro* – Tu me rejoindras, mon fils ?

FIGARO, *bas à Suzanne* – Est-il bien enfilé[1] ?

SUZANNE, *bas* – Charmant garçon !

630   *Ils sortent tous.*

Scène 11

                        CHÉRUBIN, FIGARO, BAZILE

Pendant qu'on sort, Figaro les arrête tous deux et les ramène.

FIGARO – Ah çà, vous autres ! la cérémonie adoptée, ma fête de ce soir en est la suite ; il faut bravement nous recorder[2] : ne faisons point comme ces acteurs qui ne jouent jamais si mal
635   que le jour où la critique est le plus éveillée. Nous n'avons point de lendemain qui nous excuse, nous. Sachons bien nos rôles aujourd'hui.

BAZILE, *malignement* – Le mien est plus difficile que tu ne crois.

FIGARO, *faisant, sans qu'il le voie, le geste de le rosser[3]* – Tu es loin
640   de savoir tout le succès qu'il te vaudra.

---

notes

1. **enfilé** : trompé.
2. **nous recorder** : répéter notre rôle.

3. **rosser** : battre.

CHÉRUBIN – Mon ami, tu oublies que je pars.

FIGARO – Et toi, tu voudrais bien rester !

CHÉRUBIN – Ah ! si je le voudrais !

FIGARO – Il faut ruser. Point de murmure à ton départ. Le
645   manteau de voyage à l'épaule ; arrange ouvertement ta trousse[1],
et qu'on voie ton cheval à la grille ; un temps de galop jusqu'à
la ferme ; reviens à pied par les derrières[2]. Monseigneur te
croira parti ; tiens-toi seulement hors de sa vue ; je me charge
de l'apaiser après la fête.

650 CHÉRUBIN – Mais Fanchette qui ne sait pas son rôle !

BAZILE – Que diable lui apprenez-vous donc, depuis huit jours
que vous ne la quittez pas ?

FIGARO – Tu n'as rien à faire aujourd'hui : donne-lui, par grâce,
une leçon.

655 BAZILE – Prenez garde, jeune homme, prenez garde ! Le père
n'est pas satisfait ; la fille a été souffletée[3] ; elle n'étudie pas avec
vous : Chérubin ! Chérubin ! vous lui causerez des chagrins !
Tant va la cruche à l'eau !...

FIGARO – Ah ! voilà notre imbécile avec ses vieux proverbes ! Hé
660   bien, pédant, que dit la sagesse des nations ? *Tant va la cruche à*
l'eau, qu'à la fin...

BAZILE – Elle s'emplit[4].

FIGARO, *en s'en allant* – Pas si bête, pourtant, pas si bête !

notes
....

1. **trousse** : sacoche de selle.
2. **derrières** : issues de derrière, portes de derrière.
3. **souffletée** : giflée.

4. **Elle s'emplit** : métaphore pour traduire les risques qu'encourt Fanchette – à savoir une grossesse !

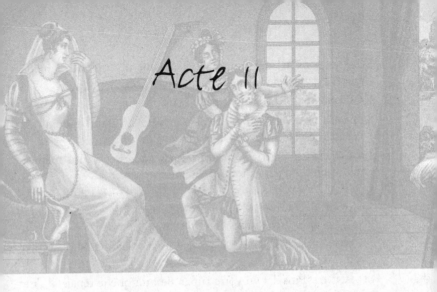

Acte II

Le théâtre représente une chambre à coucher superbe, un grand lit en alcôve[1], une estrade au-devant. La porte pour entrer s'ouvre et se ferme à la troisième coulisse à droite ; celle d'un cabinet, à la première coulisse à gauche. Une porte dans le fond va chez les femmes. Une fenêtre s'ouvre de l'autre côté.

Scène 1

SUZANNE, LA COMTESSE *entrent par la porte à droite.*

LA COMTESSE *se jette dans une bergère[2]* – Ferme la porte, Suzanne, et conte-moi tout dans le plus grand détail.

SUZANNE – Je n'ai rien caché à Madame.

LA COMTESSE – Quoi ! Suzon, il voulait te séduire ?

---

notes ....

1. alcôve : renfoncement ménagé dans une chambre pour y placer le lit.

2. bergère : fauteuil large et profond, dont le siège est garni d'un coussin.

5 SUZANNE – Oh! que non! Monseigneur n'y met pas tant de façon avec sa servante : il voulait m'acheter.

LA COMTESSE – Et le petit page était présent?

SUZANNE – C'est-à-dire caché derrière le grand fauteuil. Il venait me prier de vous demander sa grâce.

10 LA COMTESSE – Eh! pourquoi ne pas s'adresser à moi-même? est-ce que je l'aurais refusé[1], Suzon?

SUZANNE – C'est ce que j'ai dit : mais ses regrets de partir, et surtout de quitter Madame! *Ah! Suzon, qu'elle est noble et belle! mais qu'elle est imposante!*

15 LA COMTESSE – Est-ce que j'ai cet air-là, Suzon? Moi qui l'ai toujours protégé.

SUZANNE – Puis il a vu votre ruban de nuit que je tenais : il s'est jeté dessus...

LA COMTESSE, *souriant* – Mon ruban?... Quelle enfance[2]!

20 SUZANNE – J'ai voulu le lui ôter; Madame, c'était un lion; ses yeux brillaient... *Tu ne l'auras qu'avec ma vie*, disait-il en forçant sa petite voix douce et grêle[3].

LA COMTESSE, *rêvant* – Eh bien, Suzon?

SUZANNE – Eh bien, Madame, est-ce qu'on peut faire finir ce
25 petit démon-là? Ma marraine par-ci, je voudrais bien par l'autre et parce qu'il n'oserait seulement baiser la robe de Madame, il voudrait toujours m'embrasser, moi.

LA COMTESSE, *rêvant* – Laissons... laissons ces folies... Enfin, ma pauvre Suzanne, mon époux a fini par le dire...?

notes

1. refusé : au XVIIIᵉ siècle, ce verbe peut recevoir comme complément d'objet direct un nom de personne.

2. enfance : enfantillage.
3. grêle : aiguë et faible.

30   SUZANNE – Que si je ne voulais pas l'entendre, il allait protéger Marceline.

LA COMTESSE *se lève et se promène en se servant fortement de l'éventail* – Il ne m'aime plus du tout.

SUZANNE – Pourquoi tant de jalousie ?

35   LA COMTESSE – Comme tous les maris, ma chère ! uniquement par orgueil. Ah ! je l'ai trop aimé ! je l'ai lassé de mes tendresses et fatigué de mon amour ; voilà mon seul tort avec lui. Mais je n'entends pas que cet honnête aveu te nuise, et tu épouseras Figaro. Lui seul peut nous y aider : viendra-t-il ?

40   SUZANNE – Dès qu'il verra partir la chasse.

LA COMTESSE, *se servant de l'éventail* – Ouvre un peu la croisée sur le jardin. Il fait une chaleur ici !...

SUZANNE – C'est que Madame parle et marche avec action.

Elle va ouvrir la croisée du fond.

45   LA COMTESSE, *rêvant longtemps* – Sans cette constance à me fuir... Les hommes sont bien coupables !

SUZANNE *crie de la fenêtre* – Ah ! voilà Monseigneur qui traverse à cheval le grand potager, suivi de Pédrille, avec deux, trois, quatre lévriers.

50   LA COMTESSE – Nous avons du temps devant nous. *(Elle s'assied.)* On frappe, Suzon ?

SUZANNE *court ouvrir en chantant* – Ah ! c'est mon Figaro ! ah ! c'est mon Figaro !

Scène 2

FIGARO, SUZANNE,
LA COMTESSE, *assise.*

55 SUZANNE – Mon cher ami, viens donc! Madame est dans une impatience!...

FIGARO – Et toi, ma petite Suzanne? — Madame n'en doit prendre aucune. Au fait, de quoi s'agit-il? d'une misère. Monsieur le Comte trouve notre jeune femme aimable, il voudrait en faire sa maîtresse; et c'est bien naturel.

60 SUZANNE – Naturel?

FIGARO – Puis il m'a nommé courrier de dépêches, et Suzon conseiller d'ambassade. Il n'y a pas là d'étourderie.

SUZANNE – Tu finiras?

FIGARO – Et parce que Suzanne, ma fiancée, n'accepte pas le
65 diplôme[1], il va favoriser les vues de Marceline. Quoi de plus simple encore? Se venger de ceux qui nuisent à nos projets en renversant les leurs, c'est ce que chacun fait, ce que nous allons faire nous-mêmes. Hé bien, voilà tout pourtant.

LA COMTESSE – Pouvez-vous, Figaro, traiter si légèrement un
70 dessein qui nous coûte à tous le bonheur?

FIGARO – Qui dit cela, Madame?

SUZANNE – Au lieu de t'affliger de nos chagrins...

FIGARO – N'est-ce pas assez que je m'en occupe? Or, pour agir aussi méthodiquement que lui, tempérons d'abord son ardeur
75 de nos possessions[2], en l'inquiétant sur les siennes.

LA COMTESSE – C'est bien dit; mais comment?

FIGARO – C'est déjà fait, Madame; un faux avis donné sur vous...

notes

| 1. diplôme: son nouveau titre de maîtresse du Comte (ironique). | 2. nos possessions: ce qui nous appartient, c'est-à-dire Suzanne. |

LA COMTESSE – Sur moi? La tête vous tourne!

FIGARO – Oh! c'est à lui qu'elle doit tourner.

80 LA COMTESSE – Un homme aussi jaloux!...

FIGARO – Tant mieux; pour tirer parti des gens de ce caractère, il ne faut qu'un peu leur fouetter le sang; c'est ce que les femmes entendent si bien! Puis les tient-on fâchés tout rouge, avec un brin d'intrigue on les mène où l'on veut, par le nez, 85 dans le Guadalquivir[1]. Je vous[2] ai fait rendre à Bazile un billet inconnu, lequel avertit Monseigneur qu'un galant doit chercher à vous voir aujourd'hui pendant le bal.

LA COMTESSE – Et vous vous jouez ainsi de la vérité sur le compte d'une femme d'honneur!...

90 FIGARO – Il y en a peu, Madame, avec qui je l'eusse osé, crainte de rencontrer juste[3].

LA COMTESSE – Il faudra que je l'en remercie!

FIGARO – Mais dites-moi s'il n'est pas charmant de lui avoir taillé ses morceaux de la journée[4], de façon qu'il passe à rôder, 95 à jurer après sa dame, le temps qu'il destinait à se complaire avec la nôtre? Il est déjà tout dérouté: galopera[5]-t-il celle-ci? surveillera-t-il celle-là? Dans son trouble d'esprit, tenez, tenez, le voilà qui court la plaine, et force un lièvre qui n'en peut mais[6]. L'heure du mariage arrive en poste[7], il n'aura pas 100 pris de parti contre, et jamais il n'osera s'y opposer devant Madame.

SUZANNE – Non; mais Marceline, le bel esprit, osera le faire, elle.

---

notes

1. Guadalquivir: fleuve d'Espagne qui passe à Séville.
2. vous: datif éthique. La Comtesse ne prend pas part à l'action, mais est celle à qui s'adresse Figaro.
3. crainte de rencontrer juste: de peur que ce mensonge ne soit la vérité.

4. taillé ses morceaux de la journée: organisé son emploi du temps.
5. galopera: *galoper* est ici transitif.
6. qui n'en peut mais: qui n'y peut rien.
7. en poste: à la vitesse des chevaux de poste, très rapidement.

FIGARO – Brrrr! Cela m'inquiète bien, ma foi! Tu feras dire à Monseigneur que tu te rendras sur la brune au jardin.

105 SUZANNE – Tu comptes sur celui-là[1]?

FIGARO – Oh dame! écoutez donc; les gens qui ne veulent rien faire de rien n'avancent rien et ne sont bons à rien. Voilà mon mot.

SUZANNE – Il est joli!

LA COMTESSE – Comme son idée. Vous consentiriez qu'elle s'y
110 rendît?

FIGARO – Point du tout. Je fais endosser un habit de Suzanne à quelqu'un: surpris par nous au rendez-vous, le Comte pourra-t-il s'en dédire?

SUZANNE – À qui mes habits?

115 FIGARO – Chérubin.

LA COMTESSE – Il est parti.

FIGARO – Non pas pour moi. Veut-on me laisser faire?

SUZANNE – On peut s'en fier à lui pour mener une intrigue.

FIGARO – Deux, trois, quatre à la fois; bien embrouillées, qui se
120 croisent. J'étais né pour être courtisan.

SUZANNE – On dit que c'est un métier si difficile!

FIGARO – Recevoir, prendre et demander; voilà le secret en trois mots.

LA COMTESSE – Il a tant d'assurance qu'il finit par m'en inspirer.

125 FIGARO – C'est mon dessein.

SUZANNE – Tu disais donc?

note ....

| **1. celui-là**: cette ruse-là.

FIGARO – Que pendant l'absence de Monseigneur je vais vous envoyer le Chérubin; coiffez-le, habillez-le; je le renferme et l'endoctrine[1]; et puis dansez, Monseigneur.

130 *Il sort.*

Scène 3   SUZANNE, LA COMTESSE, *assise.*

LA COMTESSE, *tenant sa boîte à mouches[2]* – Mon Dieu, Suzon, comme je suis faite[3]!... Ce jeune homme qui va venir!...

SUZANNE – Madame ne veut donc pas qu'il en réchappe[4]?

LA COMTESSE *rêve devant sa petite glace* – Moi?...Tu verras comme
135   je vais le gronder.

SUZANNE – Faisons-lui chanter sa romance.

Elle la met sur la Comtesse.

LA COMTESSE – Mais c'est qu'en vérité mes cheveux sont dans un désordre...

140 SUZANNE, *riant* – Je n'ai qu'à reprendre ces deux boucles, Madame le grondera bien mieux.

LA COMTESSE, *revenant à elle* – Qu'est-ce que vous dites donc, mademoiselle?

---

notes

1. l'endoctrine: lui apprends ce qu'il a à faire.
2. mouches: petites rondelles de taffetas noir imitant des grains de beauté que les dames se collaient sur le visage ou sur le décolleté, par coquetterie.

3. faite: arrangée.
4. en réchappe: lieu commun de la galanterie. Chérubin va être foudroyé par la beauté de la Comtesse.

Scène 4

CHÉRUBIN, *l'air honteux*,
SUZANNE, LA COMTESSE, *assise*.

SUZANNE – Entrez, monsieur l'officier ; on est visible.

145 CHÉRUBIN *avance en tremblant* – Ah ! que ce nom m'afflige, Madame ! il m'apprend qu'il faut quitter les lieux... une marraine si... bonne !...

SUZANNE – Et si belle !

CHÉRUBIN, *avec un soupir* – Ah ! oui.

150 SUZANNE *le contrefait* – *Ah ! oui.* Le bon jeune homme ! avec ses longues paupières hypocrites. Allons, bel oiseau bleu[1], chantez la romance à Madame.

LA COMTESSE *la déplie* – De qui... dit-on qu'elle est ?

SUZANNE – Voyez la rougeur du coupable : en a-t-il un pied[2] sur
155 les joues ?

CHÉRUBIN – Est-ce qu'il est défendu... de chérir...

SUZANNE *lui met le poing sous le nez* – Je dirai tout, vaurien !

LA COMTESSE – Là... chante-t-il ?

CHÉRUBIN – Oh ! Madame, je suis si tremblant !...

160 SUZANNE, *en riant* – Et gnian, gnian, gnian, gnian, gnian, gnian, gnian ; dès que[3] Madame le veut, modeste auteur ! Je vais l'accompagner.

LA COMTESSE – Prends ma guitare.

---

notes

1. oiseau bleu : conte de Mme d'Aulnoy (1650-1705). L'amoureux, métamorphosé en oiseau bleu, vient chanter son amour désespéré à sa belle. Rappelons que Chérubin porte un manteau bleu.

2. un pied (de rouge) : se dit d'une couche épaisse de fard. La rougeur de Chérubin est ici toute naturelle ; il est très intimidé.
3. dès que : du moment que.

165 *La Comtesse, assise, tient le papier pour suivre. Suzanne est derrière son fauteuil, et prélude en regardant la musique par-dessus sa maîtresse. Le petit page est devant elle, les yeux baissés. Ce tableau est juste la belle estampe, d'après Vanloo[1], appelée* La Conversation espagnole.

ROMANCE

AIR : *Marlbroug s'en va-t-en guerre*

PREMIER COUPLET

Mon coursier hors d'haleine,
(Que mon cœur, mon cœur a de peine !)
170 J'errais de plaine en plaine,
Au gré du destrier.

DEUXIÈME COUPLET

Au gré du destrier,
Sans varlet, n'écuyer[2] ;
Là près d'une fontaine[3],
175 (Que mon cœur, mon cœur a de peine !)
Songeant à ma marraine,
Sentais mes pleurs couler.

TROISIÈME COUPLET

Sentais mes pleurs couler,
Prêt à me désoler,
180 Je gravais sur un frêne
(Que mon cœur, mon cœur a de peine !)
Sa lettre sans la mienne ;
Le Roi vint à passer.

notes

1. **Vanloo :** Charles André (dit Carle) Van Loo, peintre français (1705-1765).
2. **Sans varlet, n'écuyer :** sans valet ni écuyer.
3. Au spectacle, on a commencé la romance à ce vers, en disant «Auprès d'une fontaine». *(Note de Beaumarchais.)*

129

QUATRIÈME COUPLET

Le Roi vint à passer,
Ses barons, son clergier[1].
«Beau page, dit la reine,
(Que mon cœur, mon cœur a de peine!)
Qui vous met à la gêne[2]?
Qui vous fait tant plorer[3]?

CINQUIÈME COUPLET

Qui vous fait tant plorer?
Nous faut le déclarer.
– Madame et Souveraine,
(Que mon cœur, mon cœur a de peine!)
J'avais une marraine,
Que toujours adorai[4].

SIXIÈME COUPLET

Que toujours adorai;
Je sens que j'en mourrai.
– Beau page, dit la reine,
(Que mon cœur, mon cœur a de peine!)
N'est-il qu'une marraine?
Je vous en servirai.

SEPTIÈME COUPLET

Je vous en servirai;
Mon page vous ferai;
Puis à ma jeune Hélène,

notes

1. **clergier:** clergé.
2. **gêne:** torture.
3. **plorer:** pleurer.

4. Ici la Comtesse arrête le page en fermant le papier. Le reste ne se chante pas au théâtre. *(Note de Beaumarchais.)*

205 (Que mon cœur, mon cœur a de peine!)
Fille d'un capitaine,
Un jour vous marierai.

HUITIÈME COUPLET

Un jour vous marierai.
– Nenni, n'en faut parler!
210 Je veux, traînant ma chaîne,
(Que mon cœur, mon cœur a de peine!)
Mourir de cette peine,
Mais non m'en consoler.»

LA COMTESSE – Il y a de la naïveté[1]... du sentiment même.

215 SUZANNE *va poser la guitare sur un fauteuil*[2] – Oh! pour du sentiment, c'est un jeune homme qui... Ah çà, monsieur l'officier, vous a-t-on dit que pour égayer la soirée nous voulons savoir d'avance si un de mes habits vous ira passablement?

LA COMTESSE – J'ai peur que non.

220 SUZANNE *se mesure avec lui* – Il est de ma grandeur. Ôtons d'abord le manteau.

Elle le détache.

LA COMTESSE – Et si quelqu'un entrait?

SUZANNE – Est-ce que nous faisons du mal donc? Je vais fermer
225 la porte; *(elle court)* mais c'est la coiffure que je veux voir.

LA COMTESSE – Sur ma toilette, une baigneuse[3] à moi.

Suzanne entre dans le cabinet dont la porte est au bord du théâtre.

notes

1. **de la naïveté:** du naturel.
2. Chérubin. Suzanne. La Comtesse. *(Note de Beaumarchais.)*

3. **une baigneuse:** un bonnet plissé.

Scène 5

CHÉRUBIN, LA COMTESSE, *assise.*

LA COMTESSE – Jusqu'à l'instant du bal le Comte ignorera que vous soyez au château. Nous lui dirons après que le temps d'expédier votre brevet[1] nous a fait naître l'idée...

CHÉRUBIN *le lui montrant* – Hélas ! Madame, le voici ! Bazile me l'a remis de sa part.

LA COMTESSE – Déjà ? L'on a craint d'y perdre une minute. *(Elle lit.)* Ils se sont tant pressés, qu'ils ont oublié d'y mettre son cachet[2].

Elle le lui rend.

Scène 6

CHÉRUBIN, LA COMTESSE, SUZANNE

SUZANNE *entre avec un grand bonnet* – Le cachet, à quoi ?

LA COMTESSE – À son brevet.

SUZANNE – Déjà ?

LA COMTESSE – C'est ce que je disais. Est-ce là ma baigneuse ?

SUZANNE *s'assied près de la Comtesse* – Et la plus belle de toutes. *(Elle chante avec des épingles dans sa bouche :)*

> Tournez-vous donc envers ici,
>
> Jean de Lyra, mon bel ami[3].

(Chérubin se met à genoux. Elle le coiffe.) Madame, il est charmant !

passage analysé

---

notes

1. brevet : copie de l'acte qui vient de nommer Chérubin officier.
2. cachet : le sceau du Comte doit authentifier le brevet.

3. mon bel ami : Suzanne chante sur l'air de *Tournez-vous par ici* (1781), extrait de *L'infante de Zamora* (texte de N. Framery, musique de Paisiello).

245   LA COMTESSE – Arrange son collet[1] d'un air un peu plus féminin.

SUZANNE *l'arrange* – Là... Mais voyez donc ce morveux, comme il est joli en fille! j'en suis jalouse, moi! *(Elle lui prend le menton.)* Voulez-vous bien n'être pas joli comme ça?

LA COMTESSE – Qu'elle est folle! il faut relever la manche, afin
250   que l'amadis[2] prenne mieux... *(Elle le retrousse.)* Qu'est-ce qu'il a donc au bras? Un ruban!

SUZANNE – Et un ruban à vous. Je suis bien aise que Madame l'ait vu. Je lui avais dit que je le dirais, déjà! Oh! si Monseigneur n'était pas venu, j'aurais bien repris le ruban; car
255   je suis presque aussi forte que lui.

LA COMTESSE – Il y a du sang!

Elle détache le ruban.

CHÉRUBIN, *honteux* – Ce matin, comptant partir, j'arrangeais la gourmette[3] de mon cheval; il a donné de la tête, et la bossette[4]
260   m'a effleuré le bras.

LA COMTESSE – On n'a jamais mis un ruban...

SUZANNE – Et surtout un ruban volé. Voyons donc ce que la bossette... la courbette... la cornette du cheval... Je n'entends rien à tous ces noms-là. Ah! qu'il a le bras blanc! c'est comme
265   une femme! plus blanc que le mien! Regardez donc, Madame!

Elle les compare.

LA COMTESSE, *d'un ton glacé* – Occupez-vous plutôt de m'avoir du taffetas gommé[5] dans ma toilette.

Suzanne lui pousse la tête en riant; il tombe sur les deux mains. Elle
270   *entre dans le cabinet au bord du théâtre.*

passage analysé

notes
....

1. **collet**: partie de vêtement qui entoure le cou.
2. **amadis**: manche de robe qu'on serre et boutonne aux poignets.
3. **gourmette**: petite chaînette fixée de chaque côté du mors d'un cheval et passant sous la mâchoire inférieure.

4. **bossette**: ornement en saillie des deux côtés du mors.
5. **taffetas gommé**: tissu qui sert à panser les plaies.

Scène 7

Chérubin, *à genoux*,
La Comtesse, *assise*.

La Comtesse *reste un moment sans parler, les yeux sur son ruban. Chérubin la dévore de ses regards –* Pour mon ruban, monsieur… comme c'est celui dont la couleur m'agrée le plus…j'étais fort en colère de l'avoir perdu.

Scène 8

Chérubin, *à genoux*,
La Comtesse, *assise*, Suzanne

275   Suzanne, *revenant –* Et la ligature à son bras?

Elle remet à la Comtesse du taffetas gommé et des ciseaux.

La Comtesse – En allant lui chercher tes hardes, prends le ruban d'un autre bonnet.

Suzanne sort par la porte du fond, en emportant le manteau du page.

Scène 9

Chérubin, *à genoux*,
La Comtesse, *assise*.

280   Chérubin, *les yeux baissés –* Celui qui m'est ôté m'aurait guéri en moins de rien.

La Comtesse – Par quelle vertu? *(Lui montrant le taffetas.)* Ceci vaut mieux.

285 CHÉRUBIN, *hésitant* – Quand un ruban... a serré la tête... ou touché la peau d'une personne...

LA COMTESSE, *coupant la phrase* – ... étrangère, il devient bon pour les blessures ? J'ignorais cette propriété. Pour l'éprouver, je garde celui-ci qui vous a serré le bras. À la première égratignure... de mes femmes, j'en ferai l'essai.

290 CHÉRUBIN, *pénétré* – Vous le gardez, et moi je pars.

LA COMTESSE – Non pour toujours.

CHÉRUBIN – Je suis si malheureux !

LA COMTESSE, *émue* – Il pleure à présent ! C'est ce vilain Figaro avec son pronostic !

295 CHÉRUBIN, *exalté* – Ah ! je voudrais toucher au terme qu'il m'a prédit ! Sûr de mourir à l'instant, peut-être ma bouche oserait...

LA COMTESSE *l'interrompt et lui essuie les yeux avec son mouchoir* – Taisez-vous, taisez-vous, enfant ! Il n'y a pas un brin de raison dans tout ce que vous dites. *(On frappe à la porte ; elle*
300 *élève la voix.)* Qui frappe ainsi chez moi ?

Scène 10

CHÉRUBIN, LA COMTESSE,
LE COMTE, *en dehors.*

LE COMTE, *en dehors* – Pourquoi donc enfermée ?

LA COMTESSE, *troublée, se lève* – C'est mon époux ! grands dieux !
(À Chérubin qui s'est levé aussi.) Vous sans manteau, le col et les
bras nus ! seul avec moi ! cet air de désordre, un billet reçu, sa
305   jalousie !...

LE COMTE, *en dehors* – Vous n'ouvrez pas ?

LA COMTESSE – C'est que... je suis seule.

LE COMTE, *en dehors* – Seule ! Avec qui parlez-vous donc ?

LA COMTESSE, *cherchant* – ... Avec vous sans doute.

310   CHÉRUBIN, *à part* – Après les scènes d'hier et de ce matin, il me
tuerait sur la place !

Il court au cabinet de toilette, y entre, et tire la porte sur lui.

Scène 11

LA COMTESSE, *seule, en ôte
la clef, et court ouvrir au Comte.*

Ah ! quelle faute ! quelle faute !

Scène 12

LE COMTE, LA COMTESSE

315 LE COMTE, *un peu sévère* – Vous n'êtes pas dans l'usage de vous enfermer !

LA COMTESSE, *troublée* – Je... je chiffonnais[1]... oui, je chiffonnais avec Suzanne ; elle est passée un moment chez elle.

LE COMTE *l'examine* – Vous avez l'air et le ton bien altérés !

320 LA COMTESSE – Cela n'est pas étonnant... pas étonnant du tout... je vous assure... nous parlions de vous... Elle est passée, comme je vous dis...

Chérubin (Éric Paulhus) entre Suzanne (Bénédicte Décary) et la Comtesse (Violette Chauveau) au Théâtre du Nouveau Monde (2009).

note
....

| **1. je chiffonnais :** j'essayais des toilettes.

LE COMTE – Vous parliez de moi!... Je suis ramené par l'inquiétude; en montant à cheval, un billet qu'on m'a remis, mais auquel je n'ajoute aucune foi[1], m'a... pourtant agité.

325 LA COMTESSE – Comment, Monsieur?... quel billet?

LE COMTE – Il faut avouer, Madame, que vous ou moi sommes entourés d'êtres... bien méchants! On me donne avis que, dans la journée, quelqu'un que je crois absent doit chercher à vous entretenir.

330 LA COMTESSE – Quel que soit cet audacieux, il faudra qu'il pénètre ici; car mon projet est de ne pas quitter ma chambre de tout le jour.

LE COMTE – Ce soir, pour la noce de Suzanne?

LA COMTESSE – Pour rien au monde; je suis très incommodée.

335 LE COMTE – Heureusement le docteur est ici. *(Le page fait tomber une chaise dans le cabinet.)* Quel bruit entends-je?

LA COMTESSE, *plus troublée* – Du bruit?

LE COMTE – On a fait tomber un meuble.

LA COMTESSE – Je... je n'ai rien entendu, pour moi.

340 LE COMTE – Il faut que vous soyez furieusement préoccupée!

LA COMTESSE – Préoccupée! de quoi?

LE COMTE – Il y a quelqu'un dans ce cabinet, Madame.

LA COMTESSE – Hé... qui voulez-vous qu'il y ait, Monsieur?

LE COMTE – C'est moi qui vous le demande; j'arrive.

345 LA COMTESSE – Hé mais... Suzanne apparemment qui range.

LE COMTE – Vous avez dit qu'elle était passée chez elle!

LA COMTESSE – Passée... ou entrée là; je ne sais lequel[2].

---

notes

1. auquel je n'ajoute aucune foi: que je ne crois pas.

2. lequel: laquelle de ces deux suppositions.

LE COMTE – Si c'est Suzanne, d'où vient le trouble où je vous vois ?

350 LA COMTESSE – Du trouble pour ma camariste ?

LE COMTE – Pour votre camariste, je ne sais ; mais pour du trouble, assurément.

LA COMTESSE – Assurément, Monsieur, cette fille vous trouble et vous occupe beaucoup plus que moi.

355 LE COMTE, *en colère* – Elle m'occupe à tel point, Madame, que je veux la voir à l'instant.

LA COMTESSE – Je crois, en effet, que vous le voulez souvent ; mais voilà bien les soupçons les moins fondés...

Scène 13

LE COMTE, LA COMTESSE, SUZANNE, *entre avec des hardes et pousse la porte du fond.*

LE COMTE – Ils en seront plus aisés à détruire. *(Il parle au cabinet.)*
360 Sortez, Suzon, je vous l'ordonne !

Suzanne s'arrête auprès de l'alcôve dans le fond.

LA COMTESSE – Elle est presque nue, Monsieur ; vient-on troubler ainsi des femmes dans leur retraite ? Elle essayait des hardes que je lui donne en la mariant ; elle s'est enfuie quand elle vous a
365 entendu.

LE COMTE – Si elle craint tant de se montrer, au moins elle peut parler. *(Il se tourne vers la porte du cabinet.)* Répondez-moi, Suzanne ; êtes-vous dans ce cabinet ?

Suzanne, restée au fond, se jette dans l'alcôve et s'y cache.

370 LA COMTESSE, *vivement, tournée vers le cabinet* – Suzon, je vous défends de répondre. *(Au Comte.)* On n'a jamais poussé si loin la tyrannie !

LE COMTE *s'avance vers le cabinet* – Oh ! bien, puisqu'elle ne parle pas, vêtue ou non, je la verrai.

375 LA COMTESSE *se met au-devant* – Partout ailleurs je ne puis l'empêcher... mais j'espère aussi que chez moi...

LE COMTE – Et moi j'espère savoir dans un moment quelle est cette Suzanne mystérieuse. Vous demander la clef serait, je le vois, inutile ; mais il est un moyen sûr de jeter en dedans cette 380 légère porte. Holà ! quelqu'un !

LA COMTESSE – Attirer vos gens, et faire un scandale public d'un soupçon qui nous rendrait la fable du château ?

LE COMTE – Fort bien, Madame. En effet, j'y suffirai ; je vais à l'instant prendre chez moi ce qu'il faut... *(Il marche pour sortir et* 385 *revient.)* Mais, pour que tout reste au même état, voudrez-vous bien m'accompagner sans scandale et sans bruit, puisqu'il[1] vous déplaît tant ?... Une chose aussi simple, apparemment, ne me sera pas refusée !

LA COMTESSE, *troublée* – Eh ! monsieur, qui songe à vous 390 contrarier ?

LE COMTE – Ah ! j'oubliais la porte qui va chez vos femmes ; il faut que je la ferme aussi, pour que vous soyez pleinement justifiée.

Il va fermer la porte du fond et en ôte la clef.

395 LA COMTESSE, *à part* – Ô ciel ! étourderie funeste !

LE COMTE, *revenant à elle* – Maintenant que cette chambre est close, acceptez mon bras, je vous prie ; *(il élève la voix)* et quant à la

note ....

| **1. il**: cela, c'est-à-dire le scandale et le bruit.

Suzanne du cabinet, il faudra qu'elle ait la bonté de m'attendre ; et le moindre mal qui puisse lui arriver à mon retour...

400 LA COMTESSE – En vérité, Monsieur, voilà bien la plus odieuse aventure...

Le Comte l'emmène et ferme la porte à la clef.

Scène 14 SUZANNE, CHÉRUBIN

SUZANNE *sort de l'alcôve, accourt vers le cabinet et parle à travers la serrure* – Ouvrez, Chérubin, ouvrez vite, c'est Suzanne ; ouvrez
405 et sortez.

CHÉRUBIN *sort*[1] – Ah ! Suzon, quelle horrible scène !

SUZANNE – Sortez, vous n'avez pas une minute.

CHÉRUBIN, *effrayé* – Eh ! par où sortir ?

SUZANNE – Je n'en sais rien, mais sortez.

410 CHÉRUBIN – S'il n'y a pas d'issue ?

SUZANNE – Après la rencontre de tantôt, il vous écraserait, et nous serions perdues. Courez conter à Figaro...

CHÉRUBIN – La fenêtre du jardin n'est peut-être pas bien haute.

Il court y regarder.

415 SUZANNE, *avec effroi* – Un grand étage ! impossible ! Ah ! ma pauvre maîtresse ! Et mon mariage, ô Ciel !

CHÉRUBIN *revient* – Elle donne sur la melonnière[2] ; quitte à gâter[3] une couche ou deux...

notes
....

1. Chérubin. Suzanne. *(Note de Beaumarchais.)*

2. **melonnière** : endroit réservé à la culture du melon.
3. **gâter** : abîmer.

141

SUZANNE *le retient et s'écrie* – Il va se tuer!

420 CHÉRUBIN, *exalté* – Dans un gouffre allumé, Suzon! oui, je m'y jetterais plutôt que de lui nuire... Et ce baiser va me porter bonheur.

Il l'embrasse et court sauter par la fenêtre.

Scène 15

SUZANNE, *seule,
un cri de frayeur.*

Ah!... (*Elle tombe assise un moment. Elle va péniblement regarder à la
425 fenêtre et revient.*) Il est déjà bien loin. Oh! le petit garnement! Aussi leste[1] que joli! Si celui-là manque de femmes... Prenons sa place au plus tôt. (*En entrant dans le cabinet.*) Vous pouvez à présent, monsieur le Comte, rompre la cloison, si cela vous amuse; au diantre[2] qui répond un mot!

430 *Elle s'y enferme.*

Scène 16

LE COMTE, LA COMTESSE
rentrent dans la chambre.

LE COMTE, *une pince à la main qu'il jette sur le fauteuil* – Tout est bien comme je l'ai laissé. Madame, en m'exposant à briser cette porte, réfléchissez aux suites: encore une fois, voulez-vous l'ouvrir?

notes
....

1. **leste**: léger, agile.

2. **au diantre**: au diable. *Diantre* est un juron déformé de *diable*. (Jurer est blasphématoire.)

435 LA COMTESSE – Eh! Monsieur, quelle horrible rumeur peut altérer ainsi les égards entre deux époux? Si l'amour vous dominait au point de vous inspirer ces fureurs, malgré leur déraison, je les excuserais; j'oublierais peut-être, en faveur du motif, ce qu'elles ont d'offensant pour moi. Mais la seule

440 vanité peut-elle jeter dans ces excès un galant homme?

LE COMTE – Amour ou vanité, vous ouvrirez la porte; ou je vais à l'instant...

LA COMTESSE, *au devant* – Arrêtez, Monsieur, je vous prie! Me croyez-vous capable de manquer à ce que je me dois?

445 LE COMTE – Tout ce qu'il vous plaira, Madame; mais je verrai qui est dans ce cabinet.

LA COMTESSE, *effrayée* – Eh bien, Monsieur, vous le verrez. Écoutez-moi... tranquillement.

LE COMTE – Ce n'est donc pas Suzanne?

450 LA COMTESSE, *timidement* – Au moins n'est-ce pas non plus une personne... dont vous deviez rien redouter... Nous disposions une plaisanterie... bien innocente, en vérité, pour ce soir… et je vous jure...

LE COMTE – Et vous me jurez?...

455 LA COMTESSE – Que nous n'avions pas plus dessein de vous offenser l'un que l'autre.

LE COMTE, *vite* – L'un que l'autre? C'est un homme.

LA COMTESSE – Un enfant, Monsieur.

LE COMTE – Eh! qui donc?

460 LA COMTESSE – À peine osé-je le nommer!

LE COMTE, *furieux* – Je le tuerai.

LA COMTESSE – Grands dieux!

LE COMTE – Parlez donc!

LA COMTESSE – Ce jeune... Chérubin...

465 LE COMTE – Chérubin! l'insolent! Voilà mes soupçons et le billet expliqués.

LA COMTESSE, *joignant les mains* – Ah! Monsieur! gardez de penser...

LE COMTE, *frappant du pied, à part* – Je trouverai partout ce 470 maudit page! *(Haut.)* Allons, Madame, ouvrez; je sais tout maintenant. Vous n'auriez pas été si émue en le congédiant ce matin, il serait parti quand je l'ai ordonné; vous n'auriez pas mis tant de fausseté dans votre conte de Suzanne, il ne se serait pas si soigneusement caché, s'il n'y avait rien de criminel.

475 LA COMTESSE – Il a craint de vous irriter en se montrant.

LE COMTE, *hors de lui, et criant tourné vers le cabinet.* Sors donc, petit malheureux!

LA COMTESSE *le prend à bras-le-corps, en l'éloignant* – Ah! Monsieur, Monsieur, votre colère me fait trembler pour lui. 480 N'en croyez pas un injuste soupçon, de grâce! et que le désordre où vous l'allez trouver...

LE COMTE – Du désordre!

LA COMTESSE – Hélas, oui! Prêt à s'habiller en femme, une coiffure à moi sur la tête, en veste et sans manteau, le col 485 ouvert, les bras nus: il allait essayer...

LE COMTE – Et vous vouliez garder votre chambre! Indigne épouse! ah! vous la garderez... longtemps; mais il faut avant que j'en chasse un insolent, de manière à ne plus le rencontrer nulle part.

490 LA COMTESSE *se jette à genoux, les bras élevés* – Monsieur le Comte, épargnez un enfant; je ne me consolerais pas d'avoir causé...

LE COMTE – Vos frayeurs aggravent son crime.

LA COMTESSE – Il n'est pas coupable, il partait: c'est moi qui l'ai 495 fait appeler.

144

LE COMTE, *furieux* – Levez-vous. Ôtez-vous... Tu[1] es bien audacieuse d'oser me parler pour un autre[2] !

LA COMTESSE – Eh bien ! je m'ôterai, Monsieur, je me lèverai ; je vous remettrai même la clef du cabinet : mais, au nom de votre amour...

500

LE COMTE – De mon amour, perfide !

LA COMTESSE *se lève et lui présente la clef* – Promettez-moi que vous laisserez aller cet enfant sans lui faire aucun mal ; et puisse, après, tout votre courroux tomber sur moi, si je ne vous convaincs pas...

505

LE COMTE, *prenant la clef* – Je n'écoute plus rien.

LA COMTESSE *se jette sur une bergère, un mouchoir sur les yeux* – Oh ! Ciel ! il va périr !

LE COMTE *ouvre la porte et recule* – C'est Suzanne !

Scène 17

LA COMTESSE, LE COMTE, SUZANNE

510

SUZANNE *sort en riant* – *Je le tuerai, je le tuerai !* Tuez-le donc, ce méchant page.

LE COMTE, *à part* – Ah ! quelle école[3] ! *(Regardant la Comtesse qui est restée stupéfaite.)* Et vous aussi, vous jouez l'étonnement ?... Mais peut-être elle n'y est pas seule.

515

Il entre.

---

notes

1. **Tu** : le passage au tutoiement est insultant. Le Comte a perdu tout respect pour sa femme.
2. **me parler pour un autre** : prendre la défense d'un autre.

3. **école** : faute commise au jeu du trictrac. Ici, « quelle erreur ».

Scène 18
La Comtesse, *assise*, Suzanne

Suzanne *accourt à sa maîtresse* – Remettez-vous, Madame ; il est
bien loin ; il a fait un saut...

La Comtesse – Ah ! Suzon ! je suis morte !

Scène 19
La Comtesse, *assise*,
Suzanne, Le Comte

520 Le Comte *sort du cabinet d'un air confus. Après un court silence* – Il
n'y a personne, et pour le coup j'ai tort. Madame... vous jouez
fort bien la comédie.

Suzanne, *gaiement* – Et moi, Monseigneur ?

La Comtesse, son mouchoir sur la bouche, pour se remettre, ne parle
pas[1].

525 Le Comte *s'approche* – Quoi ! Madame, vous plaisantiez ?

La Comtesse, *se remettant un peu* – Et pourquoi non, Monsieur ?

Le Comte – Quel affreux badinage ! et par quel motif, je vous
prie ?...

La Comtesse – Vos folies méritent-elles de la pitié ?

530 Le Comte – Nommer folies ce qui touche à l'honneur !

La Comtesse, *assurant son ton par degrés* – Me suis-je unie à vous
pour être éternellement dévouée[2] à l'abandon et à la jalousie,
que vous seul osez concilier ?

Le Comte – Ah ! Madame, c'est sans ménagements.

notes ....

1. Suzanne. La Comtesse, assise. Le Comte. **2. dévouée :** vouée.
(Note de Beaumarchais.)

535 SUZANNE – Madame n'avait qu'à vous laisser appeler les gens.

LE COMTE – Tu as raison, et c'est à moi de m'humilier... Pardon, je suis d'une confusion !...

SUZANNE – Avouez, Monseigneur, que vous la méritez un peu !

LE COMTE – Pourquoi donc ne sortais-tu pas lorsque je
540 t'appelais ? Mauvaise !

SUZANNE – Je me rhabillais de mon mieux, à grand renfort d'épingles ; et Madame, qui me le défendait, avait bien ses raisons pour le faire.

LE COMTE – Au lieu de rappeler mes torts, aide-moi plutôt à
545 l'apaiser.

LA COMTESSE – Non, Monsieur ; un pareil outrage ne se couvre point[1]. Je vais me retirer aux Ursulines[2], et je vois trop qu'il en est temps.

LE COMTE – Le pourriez-vous sans quelques regrets ?

550 SUZANNE – Je suis sûre, moi, que le jour du départ serait la veille des larmes.

LA COMTESSE – Eh ! quand cela serait, Suzon ? j'aime mieux le regretter que d'avoir la bassesse de lui pardonner ; il m'a trop offensée.

555 LE COMTE – Rosine !...

LA COMTESSE – Je ne la suis plus, cette Rosine que vous avez tant poursuivie ! Je suis la pauvre comtesse Almaviva, la triste femme délaissée, que vous n'aimez plus.

SUZANNE – Madame !

---

notes

1. **ne se couvre point:** ne se répare pas.
2. **Ursulines:** couvent parisien dont la réputation était scandaleuse. Le choix de la

Comtesse ne sembla pas très opportun aux ligues de vertu de l'époque (*cf.* la préface).

560 LE COMTE, *suppliant* – Par pitié !

LA COMTESSE – Vous n'en aviez aucune pour moi.

LE COMTE – Mais aussi ce billet... Il m'a tourné le sang !

LA COMTESSE – Je n'avais pas consenti qu'on l'écrivît.

LE COMTE – Vous le saviez ?

565 LA COMTESSE – C'est cet étourdi de Figaro...

LE COMTE – Il en était ?

LA COMTESSE – ... qui l'a remis à Bazile.

LE COMTE – Qui m'a dit le tenir d'un paysan. Ô perfide chanteur, lame à deux tranchants ! C'est toi qui payeras pour tout le monde.

570 LA COMTESSE – Vous demandez pour vous un pardon que vous refusez aux autres : voilà bien les hommes ! Ah ! si jamais je consentais à pardonner en faveur de l'erreur où vous a jeté ce billet, j'exigerais que l'amnistie fût générale.

LE COMTE – Eh bien ! de tout mon cœur, Comtesse. Mais
575 comment réparer une faute aussi humiliante ?

LA COMTESSE *se lève* – Elle l'était pour tous deux.

LE COMTE – Ah ! dites pour moi seul. Mais je suis encore à concevoir[1] comment les femmes prennent si vite et si juste l'air et le ton des circonstances. Vous rougissiez, vous pleuriez,
580 votre visage était défait... D'honneur, il l'est encore.

LA COMTESSE, *s'efforçant de sourire* – Je rougissais... du ressentiment de vos soupçons. Mais les hommes sont-ils assez délicats pour distinguer l'indignation d'une âme honnête outragée, d'avec la confusion qui naît d'une accusation méritée ?

585 LE COMTE, *souriant* – Et ce page en désordre, en veste et presque nu...

note ....

| **1. concevoir** : tenter de comprendre.

LA COMTESSE, *montrant Suzanne* – Vous le voyez devant vous. N'aimez-vous pas mieux l'avoir trouvé que l'autre? En général vous ne haïssez pas de rencontrer celui-ci.

590 LE COMTE, *riant plus fort* – Et ces prières, ces larmes feintes...

LA COMTESSE – Vous me faites rire, et j'en ai peu d'envie.

LE COMTE – Nous croyons valoir quelque chose en politique, et nous ne sommes que des enfants. C'est vous, c'est vous, Madame, que le roi devrait envoyer en ambassade à Londres!
595 Il faut que votre sexe ait fait une étude bien réfléchie de l'art de se composer[1], pour réussir à ce point!

LA COMTESSE – C'est toujours vous qui nous y forcez.

SUZANNE – Laissez-nous prisonniers sur parole, et vous verrez si nous sommes gens d'honneur.

600 LA COMTESSE – Brisons là[2], monsieur le Comte. J'ai peut-être été trop loin; mais mon indulgence en un cas aussi grave doit au moins m'obtenir la vôtre.

LE COMTE – Mais vous répéterez que vous me pardonnez.

LA COMTESSE – Est-ce que je l'ai dit, Suzon?

605 SUZANNE – Je ne l'ai pas entendu, Madame.

LE COMTE – Eh bien! que ce mot vous échappe.

LA COMTESSE – Le méritez-vous donc, ingrat?

LE COMTE – Oui, par mon repentir.

SUZANNE – Soupçonner un homme dans le cabinet de Madame!

610 LE COMTE – Elle m'en a si sévèrement puni!

SUZANNE – Ne pas s'en fier à elle, quand elle dit que c'est sa camariste!

LE COMTE – Rosine, êtes-vous donc implacable?

---

notes

| 1. se composer: feindre une attitude. | 2. Brisons là: arrêtons là.

LA COMTESSE – Ah! Suzon, que je suis faible! quel exemple je
te donne! *(Tendant la main au Comte.)* On ne croira plus à la
colère des femmes.

SUZANNE – Bon, Madame, avec eux ne faut-il pas toujours en
venir là?

Le Comte baise ardemment la main de sa femme.

Scène 20

SUZANNE, FIGARO,
LA COMTESSE, LE COMTE

FIGARO, *arrivant tout essoufflé* – On disait Madame incommodée.
Je suis vite accouru... je vois avec joie qu'il n'en est rien.

LE COMTE, *sèchement* – Vous êtes fort attentif.

FIGARO – Et c'est mon devoir. Mais puisqu'il n'en est rien,
Monseigneur, tous vos jeunes vassaux des deux sexes sont en
bas avec les violons et les cornemuses, attendant, pour
m'accompagner, l'instant où vous permettrez que je mène ma
fiancée...

LE COMTE – Et qui surveillera la Comtesse au château?

FIGARO – La veiller! elle n'est pas malade.

LE COMTE – Non; mais cet homme absent qui doit l'entretenir?

FIGARO – Quel homme absent?

LE COMTE – L'homme du billet que vous avez remis à Bazile.

FIGARO – Qui dit cela?

LE COMTE – Quand je ne le saurais pas d'ailleurs, fripon, ta
physionomie qui t'accuse me prouverait déjà que tu mens.

FIGARO – S'il est ainsi, ce n'est pas moi qui mens, c'est ma physionomie.

SUZANNE – Va, mon pauvre Figaro, n'use pas ton éloquence en défaites, nous avons tout dit.

640 FIGARO – Et quoi dit ? Vous me traitez comme un Bazile !

SUZANNE – Que tu avais écrit le billet de tantôt pour faire accroire à Monseigneur, quand il entrerait, que le petit page était dans ce cabinet, où je me suis enfermée.

LE COMTE – Qu'as-tu à répondre ?

645 LA COMTESSE – Il n'y a plus rien à cacher, Figaro ; le badinage est consommé.

FIGARO, *cherchant à deviner* – Le badinage... est consommé ?

LE COMTE – Oui, consommé. Que dis-tu là-dessus ?

FIGARO – Moi ! je dis... que je voudrais bien qu'on en pût dire
650 autant de mon mariage ; et si vous l'ordonnez...

LE COMTE – Tu conviens donc enfin du billet ?

FIGARO – Puisque Madame le veut, que Suzanne le veut, que vous le voulez vous-même, il faut bien que je le veuille aussi ; mais à votre place, en vérité, Monseigneur, je ne croirais pas
655 un mot de tout ce que nous vous disons.

LE COMTE – Toujours mentir contre l'évidence ! À la fin, cela m'irrite.

LA COMTESSE, *en riant* – Eh ! ce pauvre garçon ! pourquoi voulez-vous, Monsieur, qu'il dise une fois la vérité ?

660 FIGARO, *bas à Suzanne* – Je l'avertis de son danger ; c'est tout ce qu'un honnête homme peut faire.

SUZANNE, *bas* – As-tu vu le petit page ?

FIGARO, *bas* – Encore tout froissé.

SUZANNE, *bas* – Ah ! pécaïre[1] !

665 LA COMTESSE – Allons, monsieur le Comte, ils brûlent de s'unir :
leur impatience est naturelle ! Entrons pour la cérémonie.

LE COMTE, *à part* – Et Marceline, Marceline... *(Haut.)* Je
voudrais être... au moins vêtu.

LA COMTESSE – Pour nos gens ! Est-ce que je le suis ?

Scène 21

FIGARO, SUZANNE,
LA COMTESSE, LE COMTE,
ANTONIO

670 ANTONIO, *demi-gris, tenant un pot de giroflées écrasées* –
Monseigneur ! Monseigneur !

LE COMTE – Que me veux-tu, Antonio ?

ANTONIO – Faites donc une fois griller les croisées qui donnent
sur mes couches. On jette toutes sortes de choses par ces
675 fenêtres ; et tout à l'heure encore on vient d'en jeter un homme.

LE COMTE – Par ces fenêtres ?

ANTONIO – Regardez comme on arrange mes giroflées !

SUZANNE, *bas à Figaro* – Alerte, Figaro, alerte !

FIGARO – Monseigneur, il est gris dès le matin.

680 ANTONIO – Vous n'y êtes pas. C'est un petit reste d'hier. Voilà
comme on fait des jugements... ténébreux.

LE COMTE, *avec feu* – Cet homme ! cet homme ! où est-il ?

ANTONIO – Où il est ?

note ....

| 1. **pécaïre** : exclamation méridionale exprimant la pitié ou l'attendrissement.

LE COMTE – Oui.

685 ANTONIO – C'est ce que je dis. Il faut me le trouver, déjà. Je suis votre domestique ; il n'y a que moi qui prends soin de votre jardin ; il y tombe un homme ; et vous sentez... que ma réputation en est effleurée.

SUZANNE, *bas à Figaro* – Détourne, détourne !

690 FIGARO – Tu boiras donc toujours ?

ANTONIO – Et si je ne buvais pas, je deviendrais enragé.

LA COMTESSE – Mais en[1] prendre ainsi sans besoin...

ANTONIO – Boire sans soif et faire l'amour en tout temps, Madame, il n'y a que ça qui nous distingue des autres bêtes.

695 LE COMTE, *vivement* – Réponds-moi donc ou je vais te chasser.

ANTONIO – Est-ce que je m'en irais ?

LE COMTE – Comment donc ?

ANTONIO, *se touchant le front* – Si vous n'avez pas assez de ça pour garder un bon domestique, je ne suis pas assez bête, moi,
700 pour renvoyer un si bon maître.

LE COMTE *le secoue avec colère* – On a, dis-tu, jeté un homme par cette fenêtre ?

ANTONIO – Oui, Mon Excellence ; tout à l'heure, en veste blanche, et qui s'est enfui, jarni[2], courant...

705 LE COMTE, *impatienté* – Après ?

ANTONIO – J'ai bien voulu courir après ; mais je me suis donné, contre la grille, une si fière gourde[3] à la main, que je ne peux plus remuer ni pied, ni patte, de ce doigt-là.

Levant le doigt.

---

noteſ

1. **en** : du vin.
2. **jarni** : juron.

3. **gourde** : coup qui engourdit.

153

Antonio :
« Regardez comme
on a arrangé
mes giroflées ! »
Gravure
d'Émile Bayard.

710   LE COMTE – Au moins, tu reconnaîtrais l'homme ?

ANTONIO – Oh ! que oui-da !… si je l'avais vu pourtant !

SUZANNE, *bas à Figaro* – Il ne l'a pas vu.

FIGARO –Voilà bien du train pour un pot de fleurs ! combien te faut-il, pleurard, avec ta giroflée ? Il est inutile de chercher,
715   Monseigneur, c'est moi qui ai sauté.

LE COMTE – Comment ? c'est vous !

ANTONIO – *Combien te faut-il, pleurard ?* Votre corps a donc bien grandi depuis ce temps-là ; car je vous ai trouvé beaucoup plus moindre, et plus fluet !

720   FIGARO – Certainement ; quand on saute, on se pelotonne…

ANTONIO – M'est avis que c'était plutôt… qui dirait, le gringalet de page.

LE COMTE – Chérubin, tu veux dire ?

FIGARO – Oui, revenu tout exprès, avec son cheval, de la porte
725   de Séville, où peut-être il est déjà.

ANTONIO – Oh ! non, je ne dis pas ça, je ne dis pas ça ; je n'ai pas vu sauter de cheval, car je le dirais de même.

LE COMTE – Quelle patience !

FIGARO – J'étais dans la chambre des femmes, en veste blanche :
730   il fait un chaud !… J'attendais là ma Suzannette, quand j'ai ouï tout à coup la voix de Monseigneur et le grand bruit qui se faisait ! je ne sais quelle crainte m'a saisi à l'occasion de ce billet ; et, s'il faut avouer ma bêtise, j'ai sauté sans réflexion sur les couches, où je me suis même un peu foulé le pied droit.

735   *Il frotte son pied.*

ANTONIO – Puisque c'est vous, il est juste de vous rendre ce brimborion[1] de papier qui a coulé de votre veste, en tombant.

---

note ....

| 1. **brimborion** : petit objet de peu de valeur.

155

LE COMTE *se jette dessus* – Donne-le-moi.

Il ouvre le papier et le referme.

740 FIGARO, *à part* – Je suis pris.

LE COMTE, *à Figaro* – La frayeur ne vous aura pas fait oublier ce que contient ce papier, ni comment il se trouvait dans votre poche ?

FIGARO, *embarrassé, fouille dans ses poches et en tire des papiers* – Non
745 sûrement... Mais c'est que j'en ai tant. Il faut répondre à tout... *(Il regarde un des papiers.)* Ceci ? ah ! c'est une lettre de Marceline, en quatre pages ; elle est belle !... Ne serait-ce pas la requête de ce pauvre braconnier en prison ?... Non, la voici... J'avais l'état des meubles du petit château dans l'autre poche...

750 *Le Comte rouvre le papier qu'il tient.*

LA COMTESSE, *bas à Suzanne* – Ah ! dieux ! Suzon, c'est le brevet d'officier.

SUZANNE, *bas à Figaro* – Tout est perdu, c'est le brevet.

LE COMTE *replie le papier* – Eh bien ! l'homme aux expédients[1],
755 vous ne devinez pas !

ANTONIO, *s'approchant de Figaro* – Monseigneur dit si vous ne devinez pas ?

FIGARO *le repousse* – Fi donc, vilain[2], qui me parle dans le nez !

LE COMTE – Vous ne vous rappelez pas ce que ce peut être ?

760 FIGARO – A, a, a, ah ! *povero*[3] ! ce sera le brevet de ce malheureux enfant, qu'il m'avait remis, et que j'ai oublié de lui rendre. O, o, o, oh ! étourdi que je suis ! que fera-t-il sans son brevet ? Il faut courir...

notes

1. expédients : moyens qui permettent de se tirer momentanément d'embarras. Figaro est ici assimilé à Ulysse, le héros rusé de l'*Odyssée* d'Homère, que l'on appelle « l'homme aux mille expédients ».

2. vilain : paysan rustre.
3. *povero* : pauvre (italien).

LE COMTE – Pourquoi vous l'aurait-il remis?

765 FIGARO, *embarrassé* – Il... désirait qu'on y fît quelque chose.

LE COMTE *regarde son papier* – Il n'y manque rien.

LA COMTESSE, *bas à Suzanne* – Le cachet.

SUZANNE, *bas à Figaro* – Le cachet manque.

LE COMTE, *à Figaro* – Vous ne répondez pas?

770 FIGARO – C'est... qu'en effet, il y manque peu de chose. Il dit
que c'est l'usage.

LE COMTE – L'usage! l'usage! l'usage de quoi?

FIGARO – D'y apposer le sceau de vos armes. Peut-être aussi que
cela ne valait pas la peine.

775 LE COMTE *rouvre le papier et le chiffonne de colère* – Allons, il est
écrit que je ne saurai rien. (*À part.*) C'est ce Figaro qui les
mène, et je ne m'en vengerais pas!

Il veut sortir avec dépit.

FIGARO, *l'arrêtant* – Vous sortez sans ordonner mon mariage?

Scène 22

BAZILE, BARTHOLO,
MARCELINE, FIGARO,
LE COMTE, GRIPE-SOLEIL,
LA COMTESSE, SUZANNE,
ANTONIO; *valets du Comte,
ses vassaux.*

780 MARCELINE, *au Comte* – Ne l'ordonnez pas, Monseigneur!
Avant de lui faire grâce, vous nous devez justice. Il a des
engagements avec moi.

LE COMTE, *à part* – Voilà ma vengeance arrivée.

FIGARO – Des engagements! De quelle nature? Expliquez-vous.

785 MARCELINE – Oui, je m'expliquerai, malhonnête!

La Comtesse s'assied sur une bergère. Suzanne est derrière elle.

LE COMTE – De quoi s'agit-il, Marceline ?

MARCELINE – D'une obligation de mariage.

FIGARO – Un billet, voilà tout, pour de l'argent prêté.

790 MARCELINE, *au Comte* – Sous condition de m'épouser. Vous êtes un grand seigneur, le premier juge[1] de la province...

LE COMTE – Présentez-vous au tribunal, j'y rendrai justice à tout le monde.

BAZILE, *montrant Marceline* – En ce cas, Votre Grandeur permet
795 que je fasse aussi valoir mes droits sur Marceline ?

LE COMTE, *à part* – Ah ! voilà mon fripon du billet.

FIGARO – Autre fou de la même espèce !

LE COMTE, *en colère, à Bazile* – Vos droits ! vos droits ! Il vous convient bien de parler devant moi, maître sot !

800 ANTONIO, *frappant dans sa main* – Il ne l'a, ma foi, pas manqué du premier coup : c'est son nom.

LE COMTE – Marceline, on suspendra tout jusqu'à l'examen de vos titres, qui se fera publiquement dans la grand-salle d'audience. Honnête Bazile, agent fidèle et sûr, allez au bourg chercher les
805 gens du Siège[2].

BAZILE – Pour son affaire ?

LE COMTE – Et vous m'amènerez le paysan du billet.

BAZILE – Est-ce que je le connais ?

LE COMTE – Vous résistez !

810 BAZILE – Je ne suis pas entré au château pour en faire les commissions.

notes

1. juge: le Comte est « grand corrégidor » d'Andalousie. Il exerce des fonctions de justice seigneuriale.

2. les gens du Siège: les magistrats.

158

LE COMTE – Quoi donc?

BAZILE – Homme à talent sur l'orgue du village, je montre le
clavecin à Madame, à chanter à ses femmes, la mandoline aux
815   pages, et mon emploi surtout est d'amuser votre compagnie
avec ma guitare, quand il vous plaît me l'ordonner.

GRIPE-SOLEIL *s'avance* – J'irai bien, Monsigneu, si cela vous plaira.

LE COMTE – Quel est ton nom et ton emploi?

GRIPE-SOLEIL – Je suis Gripe-Soleil, mon bon Signeu; le petit
820   patouriau[1] des chèvres, commandé pour le feu d'artifice. C'est
fête aujourd'hui dans le troupiau[2]; et je sais oùs-ce-qu'est
toute l'enragée boutique à procès[3] du pays.

LE COMTE – Ton zèle me plaît; vas-y: mais vous *(à Bazile)*,
accompagnez monsieur en jouant de la guitare, et chantant
825   pour l'amuser en chemin. Il est de ma compagnie.

GRIPE-SOLEIL, *joyeux* – Oh! moi, je suis de la...?

Suzanne l'apaise de la main, en lui montrant la Comtesse.

BAZILE, *surpris* – Que j'accompagne Gripe-Soleil en jouant?...

LE COMTE – C'est votre emploi. Partez ou je vous chasse.

830   *Il sort.*

Scène 23   LES ACTEURS PRÉCÉDENTS, *excepté* LE COMTE

BAZILE, *à lui-même* – Ah! je n'irai pas lutter contre le pot de fer,
moi qui ne suis...

FIGARO – Qu'une cruche[4].

notes ....

1. **patouriau**: berger, pâtre (déformation de
pastoureau).
2. **troupiau**: Gripe-Soleil parle une sorte
de patois paysan. Voir les déformations
«Signeu» et «Monsigneu».

3. **boutique à procès**: les mêmes magistrats
(péjoratif).
4. **cruche**: on attend le *pot de terre*, qui est
un synonyme, par allusion à la fable de La
Fontaine. *Cruche* est franchement péjoratif!

BAZILE, *à part* – Au lieu d'aider à leur mariage, je m'en vais
835   assurer le mien avec Marceline. *(À Figaro.)* Ne conclus rien,
crois-moi, que je ne sois de retour.

Il va prendre la guitare sur le fauteuil du fond.

FIGARO *le suit* – Conclure ! oh ! va, ne crains rien ; quand même tu
ne reviendrais jamais… Tu n'as pas l'air en train de chanter, veux-
840   tu que je commence ?… Allons, gai, haut la-mi-la pour ma fiancée.

*Il se met en marche à reculons, danse en chantant la séguedille[1]
suivante ; Bazile accompagne ; et tout le monde le suit.*

SÉGUEDILLE : *Air noté*

Je préfère à richesse
        La sagesse
845   De ma Suzon,
Zon, zon, zon,
Zon, zon, zon,
Zon, zon, zon,
Zon, zon, zon.

850   Aussi sa gentillesse
        Est maîtresse
De ma raison,
Zon, zon, zon,
Zon, zon, zon,
855   Zon, zon, zon,
Zon, zon, zon.

Le bruit s'éloigne, on n'entend pas le reste.

note ....

| **1.** *séguedille* : chanson et danse populaires espagnoles de rythme vif.

160

Scène 24 Suzanne, La Comtesse

La Comtesse, *dans sa bergère* – Vous voyez, Suzanne, la jolie scène que votre étourdi m'a value avec son billet.

860 Suzanne – Ah, Madame, quand je suis rentrée du cabinet, si vous aviez vu votre visage ! Il s'est terni tout à coup ; mais ce n'a été qu'un nuage ; et par degrés vous êtes devenue rouge, rouge, rouge !

La Comtesse – Il a donc sauté par la fenêtre ?

Suzanne – Sans hésiter, le charmant enfant ! Léger… comme
865 une abeille !

La Comtesse – Ah ! ce fatal jardinier ! Tout cela m'a remuée au point… que je ne pouvais rassembler deux idées.

Suzanne – Ah ! Madame, au contraire ; et c'est là que j'ai vu combien l'usage du grand monde donne d'aisance aux dames
870 comme il faut, pour mentir sans qu'il y paraisse.

La Comtesse – Crois-tu que le Comte en soit la dupe ? Et s'il trouvait cet enfant au château !

Suzanne – Je vais recommander de le cacher si bien…

La Comtesse – Il faut qu'il parte. Après ce qui vient d'arriver,
875 vous croyez bien que je ne suis pas tentée de l'envoyer au jardin à votre place.

Suzanne – Il est certain que je n'irai pas non plus. Voilà donc mon mariage encore une fois…

La Comtesse *se lève* – Attends… Au lieu d'un autre, ou de toi,
880 si j'y allais moi-même ?

Suzanne – Vous, Madame ?

La Comtesse – Il n'y aurait personne d'exposé… Le Comte alors ne pourrait nier… Avoir puni sa jalousie, et lui prouver son infidélité, cela serait… Allons : le bonheur d'un premier hasard
885 m'enhardit à tenter le second. Fais-lui savoir promptement que tu te rendras au jardin. Mais surtout que personne…

SUZANNE – Ah! Figaro.

LA COMTESSE – Non, non. Il voudrait mettre ici du sien... Mon masque de velours et ma canne; que j'aille y rêver sur la terrasse.

Suzanne entre dans le cabinet de toilette.

Scène 25 LA COMTESSE, *seule.*

Il est assez effronté, mon petit projet! *(Elle se retourne.)* Ah! le ruban! mon joli ruban! je t'oubliais! *(Elle le prend sur sa bergère et le roule.)* Tu ne me quitteras plus... Tu me rappelleras la scène où ce malheureux enfant... Ah! monsieur le Comte, qu'avez-vous fait?... et moi, que fais-je en ce moment?...

Scène 26 LA COMTESSE, SUZANNE

La Comtesse met furtivement le ruban dans son sein.

SUZANNE – Voici la canne et votre loup[1].

LA COMTESSE – Souviens-toi que je t'ai défendu d'en dire un mot à Figaro.

SUZANNE, *avec joie* – Madame, il est charmant votre projet. Je viens d'y réfléchir. Il rapproche tout, termine tout, embrasse tout; et, quelque chose qui arrive[2], mon mariage est maintenant certain.

Elle baise la main de sa maîtresse. Elles sortent.

notes

1. loup : demi-masque de velours ou de satin le plus souvent noir. | **2. quelque chose qui arrive :** quoi qu'il arrive.

905   *Pendant l'entracte, des valets arrangent la salle d'audience : on apporte les*
deux banquettes à dossier des avocats, que l'on place aux deux côtés du
théâtre, de façon que le passage soit libre par-derrière. On pose une estrade
à deux marches dans le milieu du théâtre, vers le fond, sur laquelle on
place le fauteuil du Comte. On met la table du greffier[1] et son tabouret
910   *de côté sur le devant, et des sièges pour Brid'oison et d'autres juges, des*
deux côtés de l'estrade du Comte.

note ....

| **1.** *greffier* : officier public de justice.

Les amoureux Suzanne (Bénédicte Décary) et Figaro (Emmanuel Bilodeau) desquels plusieurs personnages tentent de contrarier le mariage.

Acte III

Le théâtre représente une salle du château appelée salle du trône et servant de salle d'audience, ayant sur le côté une impériale[1] en dais[2] et, dessous, le portrait du roi.

Scène 1

LE COMTE, PÉDRILLE, *en veste et botté, tenant un paquet cacheté.*

LE COMTE, *vite* – M'as-tu bien entendu?

PÉDRILLE – Excellence, oui.

Il sort.

Scène 2

LE COMTE, *seul, criant.*

Pédrille!

Scène 3

LE COMTE, PÉDRILLE, *revient.*

5 PÉDRILLE – Excellence?

LE COMTE – On ne t'a pas vu?

PÉDRILLE – Âme qui vive.

LE COMTE – Prenez le cheval barbe[1].

PÉDRILLE – Il est à la grille du potager, tout sellé.

10 LE COMTE – Ferme, d'un trait, jusqu'à Séville.

PÉDRILLE – Il n'y a que trois lieues[2], elles sont bonnes[3].

LE COMTE – En descendant, sachez si le page est arrivé.

PÉDRILLE – Dans l'hôtel?

LE COMTE – Oui; surtout depuis quel temps.

15 PÉDRILLE – J'entends.

LE COMTE – Remets-lui son brevet, et reviens vite.

PÉDRILLE – Et s'il n'y était pas?

LE COMTE – Revenez plus vite, et m'en rendez compte.
Allez.

notes

1. cheval barbe: cheval de selle originaire de l'Afrique du Nord (Barbarie). Le cheval barbe est un pur-sang très rapide.

2. lieues: une lieue correspond à 4 km.
3. bonnes: la route est en bon état, elle est donc facile à parcourir.

Scène 4

Le Comte, *seul, marche en rêvant.*

20 J'ai fait une gaucherie en éloignant Bazile !... la colère n'est bonne à rien. Ce billet remis par lui, qui m'avertit d'une entreprise[1] sur la Comtesse ; la camariste enfermée quand j'arrive ; la maîtresse affectée d'une terreur fausse ou vraie ; un homme qui saute par la fenêtre, et l'autre après qui avoue... ou

25 qui prétend que c'est lui... Le fil m'échappe. Il y a là-dedans une obscurité... Des libertés chez mes vassaux, qu'importe à gens de cette étoffe[2] ? Mais la Comtesse ! si quelque insolent attentait... Où m'égaré-je ? En vérité, quand la tête se monte, l'imagination la mieux réglée devient folle comme un rêve ! Elle s'amusait :

30 ces ris[3] étouffés, cette joie mal éteinte ! Elle se respecte ; et mon honneur... où diable on l'a placé ! De l'autre part, où suis-je ? cette friponne de Suzanne a-t-elle trahi mon secret ?... Comme il n'est pas encore le sien... Qui donc m'enchaîne à cette fantaisie ? j'ai voulu vingt fois y renoncer... Étrange effet de

35 l'irrésolution ! si je la voulais sans débat, je la désirerais mille fois moins. Ce Figaro se fait bien attendre ! il faut le sonder adroitement *(Figaro paraît dans le fond, il s'arrête)* et tâcher, dans la conversation que je vais avoir avec lui, de démêler d'une manière détournée s'il est instruit ou non de mon amour pour

40 Suzanne.

notes

1. entreprise : tentative.
2. de cette étoffe : de cette sorte.

3. ris : rires.

Scène 5

Le Comte, Figaro

Figaro, *à part* – Nous y voilà.

Le Comte – ... S'il en sait par elle un seul mot...

Figaro, *à part* – Je m'en suis douté.

Le Comte – ... Je lui fais épouser la vieille.

45 Figaro, *à part* – Les amours de M. Bazile[1] ?

Le Comte – ... Et voyons ce que nous ferons de la jeunesse[2].

Figaro, *à part* – Ah! ma femme, s'il vous plaît.

Le Comte *se retourne* – Hein ? quoi ? qu'est-ce que c'est ?

Figaro *s'avance* – Moi, qui me rends à vos ordres.

50 Le Comte – Et pourquoi ces mots ?...

Figaro – Je n'ai rien dit.

Le Comte *répète* – Ma femme, s'il vous plaît ?

Figaro – C'est... la fin d'une réponse que je faisais : *allez le d... à ma femme, s'il vous plaît.*

55 Le Comte *se promène* – Sa femme !... Je voudrais bien savo... quelle affaire peut arrêter monsieur, quand je le fais appeler...

Figaro, *feignant d'assurer son habillement* – Je m'étais sali sur c... couches en tombant, je me changeais.

Le Comte – Fallait-il une heure ?

60 Figaro – Il faut le temps.

Le Comte – Les domestiques ici... sont plus longs à s'habill... que les maîtres !

notes

1. **Les amours de M. Bazile :** celle dont Bazile est amoureux. | 2. **la jeunesse :** la jeune Suzanne.

FIGARO – C'est qu'ils n'ont point de valets pour les y aider.

LE COMTE – ... Je n'ai pas trop compris ce qui vous avait forcé
tantôt de courir un danger inutile, en vous jetant...

FIGARO – Un danger! on dirait que je me suis engouffré tout
vivant...

LE COMTE – Essayez de me donner le change en feignant de le
prendre[1], insidieux[2] valet! Vous entendez fort bien que ce
n'est pas le danger qui m'inquiète, mais le motif.

FIGARO – Sur un faux avis, vous arrivez furieux, renversant tout,
comme le torrent de la Morena[3]; vous cherchez un homme,
il vous le faut, ou vous allez briser les portes, enfoncer les
cloisons! Je me trouve là par hasard: qui sait dans votre
emportement si...

LE COMTE, *interrompant* – Vous pouviez fuir par l'escalier.

FIGARO – Et vous, me prendre au corridor!

LE COMTE, *en colère* – Au corridor! *(À part.)* Je m'emporte, et
nuis à ce que je veux savoir.

FIGARO, *à part* – Voyons-le venir, et jouons serré.

LE COMTE, *radouci* – Ce n'est pas ce que je voulais dire; laissons
cela. J'avais... oui, j'avais quelque envie de t'emmener à
Londres, courrier de dépêches... mais, toutes réflexions faites...

FIGARO – Monseigneur a changé d'avis?

LE COMTE – Premièrement, tu ne sais pas l'anglais.

FIGARO – Je sais *God-dam*[4].

LE COMTE – Je n'entends pas.

notes

1. de le prendre: prendre le change. Le
Comte dit en fait que Figaro essaie de
le tromper (donner le change) en faisant
semblant de se tromper (prendre le change).

2. insidieux: qui tend des pièges.
3. Morena: chaîne de l'Espagne méridionale.
4. God-dam: juron anglais qui signifie «que
Dieu me damne».

FIGARO – Je dis que je sais *God-dam*.

LE COMTE – Eh bien ?

90 FIGARO – Diable ! c'est une belle langue que l'anglais ! il en faut peu pour aller loin. Avec *God-dam*, en Angleterre, on ne manque de rien nulle part. — Voulez-vous tâter d'un bon poulet gras ? entrez dans une taverne, et faites seulement ce geste au garçon. (*Il tourne la broche.*) *God-dam !* on vous apporte

95 un pied de bœuf salé, sans pain. C'est admirable ! Aimez-vous à boire un coup d'excellent bourgogne ou de clairet¹ ? rien que celui-ci. (*Il débouche une bouteille.*) *God-dam !* on vous sert un pot de bière, en bel étain, la mousse aux bords. Quelle satisfaction ! Rencontrez-vous une de ces jolies personnes qui

100 vont trottant menu², les yeux baissés, coudes en arrière, et tortillant un peu des hanches ? mettez mignardement³ tous les doigts unis sur la bouche. Ah ! *God-dam !* elle vous sangle un soufflet⁴ de crocheteur⁵ : preuve qu'elle entend. Les Anglais, à la vérité, ajoutent par-ci, par-là, quelques autres mots en

105 conversant ; mais il est bien aisé de voir que *God-dam* est le fond de la langue ; et si Monseigneur n'a pas d'autre motif de me laisser en Espagne...

LE COMTE, *à part* – Il veut venir à Londres ; elle n'a pas parlé.

FIGARO, *à part* – Il croit que je ne sais rien ; travaillons-le un peu

110 dans son genre.

LE COMTE – Quel motif avait la Comtesse pour me jouer un pareil tour ?

FIGARO – Ma foi, Monseigneur, vous le savez mieux que moi.

---

notes

1. **clairet** : vin rouge peu coloré, comme son nom l'indique.
2. **trottant menu** : allant à petits pas.
3. **mignardement** : avec une douceur affectée.

4. **sangle un soufflet** : donne une forte gifle.
5. **crocheteur** : travailleur qui porte des fardeaux à l'aide d'un crochet.

LE COMTE – Je la préviens sur tout[1], et la comble de présents.

115 FIGARO – Vous lui donnez, mais vous êtes infidèle. Sait-on gré du superflu à qui nous prive du nécessaire?

LE COMTE – ... Autrefois tu me disais tout.

FIGARO – Et maintenant je ne vous cache rien.

LE COMTE – Combien la Comtesse t'a-t-elle donné pour cette
120 belle association?

FIGARO – Combien me donnâtes-vous pour la tirer des mains du docteur? Tenez, Monseigneur, n'humilions pas l'homme qui nous sert bien, crainte[2] d'en faire un mauvais valet.

LE COMTE – Pourquoi faut-il qu'il y ait toujours du louche en
125 ce que tu fais?

FIGARO – C'est qu'on en voit partout quand on cherche des torts.

LE COMTE – Une réputation détestable!

FIGARO – Et si je vaux mieux qu'elle? Y a-t-il beaucoup de
130 seigneurs qui puissent en dire autant?

LE COMTE – Cent fois je t'ai vu marcher à la fortune[3], et jamais aller droit.

FIGARO – Comment voulez-vous? la foule est là: chacun veut courir, on se presse, on pousse, on coudoie, on renverse, arrive
135 qui peut; le reste est écrasé. Aussi c'est fait; pour moi, j'y renonce.

LE COMTE – À la fortune? *(À part.)* Voici du neuf.

FIGARO, *à part* – À mon tour maintenant. *(Haut.)* Votre Excellence m'a gratifié de la conciergerie du château; c'est un

notes

1. **Je la préviens sur tout:** je me montre prévenant en toute occasion.

2. **crainte:** par crainte.

3. **à la fortune:** au hasard.

171

140 fort joli sort : à la vérité, je ne serai pas le courrier étrenné des nouvelles[1] intéressantes ; mais, en revanche, heureux avec ma femme au fond de l'Andalousie...

LE COMTE – Qui t'empêcherait de l'emmener à Londres ?

FIGARO – Il faudrait la quitter si souvent que j'aurais bientôt du
145 mariage par-dessus la tête.

LE COMTE – Avec du caractère et de l'esprit, tu pourrais un jour t'avancer dans les bureaux.

FIGARO – De l'esprit pour s'avancer ? Monseigneur se rit du mien. Médiocre et rampant, et l'on arrive à tout.

150 LE COMTE – ... Il ne faudrait qu'étudier un peu sous moi[2] la politique.

FIGARO – Je la sais.

LE COMTE – Comme l'anglais, le fond de la langue !

FIGARO – Oui, s'il y avait ici de quoi se vanter. Mais feindre
155 d'ignorer ce qu'on sait, de savoir tout ce qu'on ignore ; d'entendre ce qu'on ne comprend pas, de ne point ouïr ce qu'on entend ; surtout de pouvoir au-delà de ses forces ; avoir souvent pour grand secret de cacher qu'il n'y en a point ; s'enfermer pour tailler des plumes, et paraître profond quand
160 on n'est, comme on dit, que vide et creux ; jouer bien ou mal un personnage, répandre des espions et pensionner des traîtres ; amollir des cachets[3], intercepter des lettres, et tâcher d'ennoblir la pauvreté des moyens par l'importance des objets : voilà toute la politique, ou je meure.

passage analysé

---

notes

1. courrier étrenné des nouvelles : courrier qui a l'étrenne des nouvelles, qui en a l'usage le premier.

2. sous moi : sous ma direction.
3. amollir des cachets : faire fondre le sceau en cire des lettres pour les lire en cachette.

165   LE COMTE – Eh! c'est l'intrigue que tu définis!

LE FIGARO – La politique, l'intrigue, volontiers; mais, comme je les crois un peu germaines[1], en fasse qui voudra! *J'aime mieux ma mie, ô gué!* comme dit la chanson du bon roi[2].

LE COMTE, *à part* – Il veut rester. J'entends… Suzanne m'a trahi.

170   FIGARO, *à part* – Je l'enfile[3] et le paye en sa monnaie.

LE COMTE – Ainsi tu espères gagner ton procès contre Marceline?

FIGARO – Me feriez-vous un crime de refuser une vieille fille, quand Votre Excellence se permet de nous souffler[4] toutes les 175   jeunes?

LE COMTE, *raillant* – Au tribunal, le magistrat s'oublie et ne voit plus que l'ordonnance[5].

FIGARO – Indulgente aux grands, dure aux petits…

LE COMTE – Crois-tu donc que je plaisante?

180   FIGARO – Eh! qui le sait, Monseigneur? *Tempo è galant' uomo*[6], dit l'italien; il dit toujours la vérité: c'est lui qui m'apprendra qui me veut du mal ou du bien.

LE COMTE, *à part* – Je vois qu'on lui a tout dit; il épousera la duègne.

185   FIGARO, *à part* – Il a joué au fin avec moi; qu'a-t-il appris?

passage analysé

notes
....

1. **germaines:** sœurs.
2. **roi:** Henri IV. Cette vieille chanson est celle qu'aime Alceste pour sa simplicité, dans *Le misanthrope* de Molière (I, 2).
3. **Je l'enfile:** je le trompe (terme de trictrac).

4. **souffler:** voler.
5. **l'ordonnance:** la décision judiciaire.
6. ***Tempo è galant' uomo:*** le temps est galant homme (proverbe italien).

Scène 6

Le Comte, Un laquais, Figaro

Le Laquais, *annonçant* – Don Gusman Brid'oison[1].

Le Comte – Brid'oison?

Figaro – Eh! sans doute. C'est le juge ordinaire, le lieutenant du siège, votre prud'homme[2].

190   Le Comte – Qu'il attende.
Le laquais sort.

Scène 7

Le Comte, Figaro

Figaro *reste un moment à regarder le Comte qui rêve* – ... Est-ce là ce que Monseigneur voulait?

Le Comte, *revenant à lui* – Moi?... je disais d'arranger ce salon

195   pour l'audience publique.

Figaro – Hé! qu'est-ce qu'il manque? Le grand fauteuil pour vous, de bonnes chaises aux prud'hommes, le tabouret du greffier[3], deux banquettes aux avocats, le plancher pour le beau monde et la canaille[4] derrière. Je vais renvoyer les

200   frotteurs[5].
Il sort.

---

notes

1. Don Gusman Brid'oison: l'allusion est ici très claire; Beaumarchais déforme le nom du conseiller Goezmann, avec lequel il avait eu des démêlés judiciaires dans une affaire d'héritage. Brid'oison rappelle le juge Bridoye de Rabelais (*Tiers livre*, chap. xxxix).

2. prud'homme: juge en l'absence du Comte, il lui sert de conseiller quand ce dernier rend la justice en personne.
3. greffier: officier public de justice.
4. canaille: racaille.
5. frotteurs: valets qui frottent le parquet.

Scène 8

LE COMTE, *seul.*

Le maraud[1] m'embarrassait! en disputant, il prend son avantage;
il vous serre, vous enveloppe... Ah! friponne et fripon, vous
vous entendez pour me jouer[2]! Soyez amis, soyez amants,
205 soyez ce qu'il vous plaira, j'y consens; mais parbleu, pour
époux...

Scène 9

SUZANNE, LE COMTE

SUZANNE, *essoufflée* – Monseigneur... pardon, Monseigneur.

LE COMTE, *avec humeur* – Qu'est-ce qu'il y a, mademoiselle?

SUZANNE – Vous êtes en colère!

210 LE COMTE – Vous voulez quelque chose apparemment?

SUZANNE, *timidement* – C'est que ma maîtresse a ses vapeurs[3].
J'accourais vous prier de nous prêter votre flacon d'éther. Je
l'aurais rapporté dans l'instant.

LE COMTE *le lui donne* – Non, non, gardez-le pour vous-même.
215 Il ne tardera pas à vous être utile.

SUZANNE – Est-ce que les femmes de mon état ont des vapeurs,
donc? C'est un mal de condition, qu'on ne prend que dans les
boudoirs[4].

LE COMTE – Une fiancée bien éprise, et qui perd son futur...

220 SUZANNE – En payant Marceline avec la dot que vous m'avez
promise...

---

notes

1. **maraud:** vaurien.
2. **me jouer:** me tromper.
3. **vapeurs:** bouffées de chaleur.
4. **boudoirs:** petits salons de dame.

LE COMTE – Que je vous ai promise, moi?

SUZANNE, *baissant les yeux* – Monseigneur, j'avais cru l'entendre.

LE COMTE – Oui, si vous consentiez à m'entendre vous-même.

225 SUZANNE, *les yeux baissés* – Et n'est-ce pas mon devoir d'écouter Son Excellence?

LE COMTE – Pourquoi donc, cruelle fille, ne me l'avoir pas dit plus tôt?

SUZANNE – Est-il jamais trop tard pour dire la vérité?

230 LE COMTE – Tu te rendrais sur la brune au jardin?

SUZANNE – Est-ce que je ne m'y promène pas tous les soirs?

LE COMTE – Tu m'as traité ce matin si durement!

SUZANNE – Ce matin? Et le page derrière le fauteuil?

LE COMTE – Elle a raison, je l'oubliais... Mais pourquoi ce refus
235 obstiné quand Bazile, de ma part?...

SUZANNE – Quelle nécessité qu'un Bazile?...

LE COMTE – Elle a toujours raison. Cependant il y a un certain Figaro à qui je crains bien que vous n'ayez tout dit!

SUZANNE – Dame! oui, je lui dis tout... hors ce qu'il faut lui taire.

240 LE COMTE, *en riant* – Ah! charmante! Et tu me le promets? Si tu manquais à ta parole, entendons-nous, mon cœur: point de rendez-vous, point de dot, point de mariage.

SUZANNE, *faisant la révérence* – Mais aussi point de mariage, point de droit du seigneur, Monseigneur.

245 LE COMTE – Où prend-elle ce qu'elle dit? d'honneur j'en raffolerai! Mais ta maîtresse attend le flacon...

SUZANNE, *riant et rendant le flacon* – Aurais-je pu vous parler sans un prétexte ?

LE COMTE *veut l'embrasser* – Délicieuse créature !

250 SUZANNE *s'échappe* – Voilà du monde.

LE COMTE, *à part* – Elle est à moi.

Il s'enfuit.

SUZANNE – Allons vite rendre compte à Madame.

Scène 10   SUZANNE, FIGARO

FIGARO – Suzanne, Suzanne ! où cours-tu donc si vite en
255 quittant Monseigneur ?

SUZANNE – Plaide à présent, si tu le veux ; tu viens de gagner ton procès.

Elle s'enfuit.

FIGARO *la suit* – Ah ! mais, dis donc...

Scène 11   LE COMTE *rentre seul.*

260 *Tu viens de gagner ton procès !* Je donnais là dans un bon piège !
Ô mes chers insolents ! je vous punirai de façon... Un bon
arrêt[1]... bien juste... Mais s'il allait payer la duègne... Avec
quoi ?... S'il payait... Eeeeh ! n'ai-je pas le fier Antonio, dont le
noble orgueil dédaigne en Figaro un inconnu[2] pour sa nièce ?

notes ....

| 1. arrêt : jugement de cour. | 2. inconnu : de parents inconnus.

265 En caressant cette manie... Pourquoi non? dans le vaste champ de l'intrigue il faut savoir tout cultiver, jusqu'à la vanité d'un sot... *(Il appelle.)* Anto...

Il voit entrer Marceline, etc. Il sort.

Scène 12

BARTHOLO, MARCELINE,
BRID'OISON

MARCELINE, *à Brid'oison* – Monsieur, écoutez mon affaire.

270 BRID'OISON, *en robe, et bégayant un peu* – Eh bien! pa-arlons-en verbalement[1].

BARTHOLO – C'est une promesse de mariage.

MARCELINE – Accompagnée d'un prêt d'argent.

BRID'OISON – J'en-entends, *et cætera*, le reste.

275 MARCELINE – Non, monsieur, point d'*et cætera*.

BRID'OISON – J'en-entends: vous avez la somme?

MARCELINE – Non, monsieur; c'est moi qui l'ai prêtée.

BRID'OISON – J'en-entends bien: vou-ous redemandez l'argent?

MARCELINE – Non, monsieur; je demande qu'il m'épouse.

280 BRID'OISON – Eh! mais j'en-entends fort bien; et lui, veu-eut-il vous épouser?

MARCELINE – Non, monsieur; voilà tout le procès!

BRID'OISON – Croyez-vous que je ne l'en-entende pas, le procès?

note
| **1. verbalement**: sans utiliser les documents écrits du dossier.

285 MARCELINE – Non, monsieur. *(À Bartholo.)* Où sommes-nous ? *(À Brid'oison.)* Quoi ! c'est vous qui nous jugerez ?

BRID'OISON – Est-ce que j'ai a-acheté ma charge pour autre chose ?

MARCELINE, *en soupirant* – C'est un grand abus que de les vendre !

290 BRID'OISON – Oui ; l'on-on ferait mieux de nous les donner pour rien. Contre qui plai-aidez-vous ?

Scène 13

BARTHOLO, MARCELINE,
BRID'OISON, FIGARO *rentre
en se frottant les mains.*

MARCELINE, *montrant Figaro* – Monsieur, contre ce malhonnête homme.

FIGARO, *très gaiement, à Marceline* – Je vous gêne peut-être.
295 Monseigneur revient dans l'instant, monsieur le conseiller.

BRID'OISON – J'ai vu ce ga-arçon-là quelque part ?

FIGARO – Chez madame votre femme[1], à Séville, pour la servir, monsieur le conseiller.

BRID'OISON – Dan-ans quel temps ?

300 FIGARO – Un peu moins d'un an avant la naissance de monsieur votre fils le cadet, qui est un bien joli enfant, je m'en vante[2].

BRID'OISON – Oui, c'est le plus jo-oli de tous. On dit que tu-u fais ici des tiennes ?

FIGARO – Monsieur est bien bon. Ce n'est là qu'une misère.

notes

1. votre femme : allusion à l'affaire Goezmann. La femme de ce dernier avait accepté une somme d'argent de Beaumarchais, lequel perdit tout de même son procès.

2. je m'en vante : le fils de Gusman ne serait pas réellement son fils ; l'allusion est claire !

305 BRID'OISON – Une promesse de mariage! A-ah! le pauvre benêt[1]!

FIGARO – Monsieur...

BRID'OISON – A-t-il vu mon-on secrétaire, ce bon garçon?

FIGARO – N'est-ce pas Double-Main, le greffier?

BRID'OISON – Oui; c'è-est qu'il mange à deux râteliers[2].

310 FIGARO – Manger! je suis garant qu'il dévore. Oh! que oui, je l'ai vu pour l'extrait[3] et pour le supplément d'extrait; comme cela se pratique, au reste.

BRID'OISON – On-on doit remplir les formes[4].

FIGARO – Assurément, monsieur; si le fond des procès
315 appartient aux plaideurs[5], on sait bien que la forme est le patrimoine des tribunaux.

BRID'OISON – Ce garçon-là n'è-est pas si niais que je l'avais cru d'abord. Hé bien, l'ami, puisque tu en sais tant, nou-ous aurons soin de ton affaire.

320 FIGARO – Monsieur, je m'en rapporte à votre équité, quoique vous soyez de notre justice.

BRID'OISON – Hein?... Oui, je suis de la-a justice. Mais si tu dois, et que tu-u ne payes pas?...

FIGARO – Alors Monsieur voit bien que c'est comme si je ne
325 devais pas.

BRID'OISON – San-ans doute. Hé! mais qu'est-ce donc qu'il dit?

---

notes

1. **benêt**: idiot.
2. **il mange à deux râteliers**: encore une pique de Beaumarchais sur la corruption de Goezmann.
3. **extrait**: copie d'acte judiciaire.
4. **formes**: règles juridiques.
5. **plaideurs**: personnes en procès.

Scène 14

BARTHOLO, MARCELINE, LE COMTE, BRID'OISON, FIGARO, UN HUISSIER

L'HUISSIER, *précédant le Comte, crie* – Monseigneur, messieurs.

LE COMTE – En robe ici, seigneur Brid'oison! Ce n'est qu'une affaire domestique[1] : l'habit de ville était trop bon.

330 BRID'OISON – C'è-est vous qui l'êtes, monsieur le Comte. Mais je ne vais jamais san-ans elle, parce que la forme, voyez-vous, la forme! Tel rit d'un juge en habit court, qui-i tremble au seul aspect d'un procureur en robe. La forme, la-a forme!

LE COMTE, *à l'huissier* – Faites entrer l'audience[2].

335 L'HUISSIER *va ouvrir en glapissant* – L'audience!

Scène 15

LES ACTEURS PRÉCÉDENTS, ANTONIO, LES VALETS DU CHÂTEAU, LES PAYSANS ET PAYSANNES *en habits de fête*; LE COMTE *s'assied sur le grand fauteuil*; BRID'OISON, *sur une chaise à côté*; LE GREFFIER, *sur le tabouret derrière sa table*; LES JUGES, LES AVOCATS, *sur les banquettes*; MARCELINE, *à côté de* BARTHOLO; FIGARO, *sur l'autre banquette*; LES PAYSANS ET VALETS, *debout derrière*.

BRID'OISON, *à Double-Main* – Double-Main, a-appelez les causes[3].

DOUBLE-MAIN *lit un papier* – « Noble, très noble, infiniment noble, *don Pedro George, hidalgo[4], baron de Los Altos, y Montes*

---

notes

1. **domestique**: privée.
2. **audience**: les magistrats, les deux parties en présence et le public.

3. **les causes**: les affaires.
4. ***hidalgo***: titre de noblesse espagnole. On dit aussi *caballero*.

340 *Fieros, y Otros Montes*[1] ; contre *Alonzo Calderon*[2], jeune auteur dramatique. Il est question d'une comédie mort-née, que chacun désavoue et rejette sur l'autre. »

LE COMTE – Ils ont raison tous les deux. Hors de Cour. S'ils font ensemble un autre ouvrage, pour qu'il marque un peu dans le grand monde, ordonné que le noble y mettra son nom,
345 le poète son talent.

DOUBLE-MAIN *lit un autre papier* – « *André Petrutchio*, laboureur ; contre le receveur de la province. » Il s'agit d'un forcement arbitraire[3].

LE COMTE – L'affaire n'est pas de mon ressort. Je servirai mieux
350 mes vassaux en les protégeant près du Roi. Passez.

DOUBLE-MAIN *en prend un troisième. Bartholo et Figaro se lèvent* – « *Barbe-Agar-Raab-Madeleine-Nicole-Marceline de Verte-Allure*, fille majeure *(Marceline se lève et salue)* ; contre *Figaro…* » Nom de baptême en blanc ?

355 FIGARO – Anonyme.

BRID'OISON – A-anonyme ! Què-el patron[4] est-ce là ?

FIGARO – C'est le mien.

DOUBLE-MAIN *écrit* – Contre anonyme *Figaro*. Qualités ?

FIGARO – Gentilhomme.

360 LE COMTE – Vous êtes gentilhomme ?

Le greffier écrit.

FIGARO – Si le Ciel l'eût voulu, je serais fils d'un prince.

LE COMTE, *au greffier* – Allez.

L'HUISSIER, *glapissant* – Silence ! messieurs.

notes

1. *baron* [...] *Montes* : baron des Hauteurs, des Monts Fiers, et autres monts.
2. *Calderon* : cet auteur est l'homonyme du célèbre auteur dramatique espagnol Pedro Calderón de la Barca (1600-1681).

3. un forcement arbitraire : une saisie illégale.
4. patron : saint dont on porte le nom.

365 DOUBLE-MAIN *lit* – «...Pour cause d'opposition faite au mariage dudit *Figaro* par ladite *de Verte-Allure*. Le docteur *Bartholo* plaidant pour la demanderesse[1], et ledit *Figaro* pour lui-même, si la Cour le permet, contre le vœu de l'usage[2] et la jurisprudence[3] du siège.»

370 FIGARO – L'usage, maître Double-Main, est souvent un abus. Le client un peu instruit sait toujours mieux sa cause que certains avocats, qui, suant à froid, criant à tue-tête, et connaissant tout, hors le fait, s'embarrassent aussi peu de ruiner le plaideur que d'ennuyer l'auditoire et d'endormir Messieurs : plus 375 boursouflés après que s'ils eussent composé l'*Oratio pro Murena*[4]. Moi, je dirai le fait en peu de mots. Messieurs...

DOUBLE-MAIN – En voilà beaucoup d'inutiles, car vous n'êtes pas demandeur, et n'avez que la défense. Avancez, docteur, et lisez la promesse.

380 FIGARO – Oui, promesse !

BARTHOLO, *mettant ses lunettes* – Elle est précise.

BRID'OISON – I-il faut la voir.

DOUBLE-MAIN – Silence donc, messieurs !

L'HUISSIER, *glapissant* – Silence !

385 BARTHOLO *lit* – «Je soussigné reconnais avoir reçu de damoiselle, etc., *Marceline de Verte-Allure*, dans le château d'*Aguas-Frescas*, la somme de deux mille piastres fortes cordonnées[5], laquelle somme je lui rendrai à sa réquisition, dans ce château ; et je l'épouserai, par forme de reconnaissance, etc.» Signé *Figaro*, tout court. Mes conclusions 390 sont au payement du billet et à l'exécution de la promesse,

notes..........

1. demanderesse : celle qui fait la demande, la plaignante, c'est-à-dire Marceline.
2. contre le vœu de l'usage : qui n'est pas conforme à l'habitude.
3. jurisprudence : ensemble des décisions des tribunaux sur une matière.

4. *Oratio pro Murena* : discours judiciaire de Cicéron (Ier siècle av. J.-C.).
5. *piastres fortes cordonnées* : pièces de monnaie espagnoles dont le pourtour est frappé d'un cordon.

avec dépens[1]. *(Il plaide.)* Messieurs… jamais cause plus intéressante ne fut soumise au jugement de la Cour ; et, depuis Alexandre le Grand[2], qui promit mariage à la belle Thalestris…

395   LE COMTE, *interrompant* – Avant d'aller plus loin, avocat, convient-on de la validité du titre ?

BRID'OISON, *à Figaro* – Qu'oppo… qu'oppo-osez-vous à cette lecture ?

FIGARO – Qu'il y a, messieurs, malice, erreur ou distraction dans la manière dont on a lu la pièce, car il n'est pas dit dans l'écrit : « *laquelle somme je lui rendrai, ET je l'épouserai* », mais « *laquelle*
400   *somme je lui rendrai, OU je l'épouserai* » ; ce qui est bien différent.

LE COMTE – Y a-t-il ET dans l'acte, ou bien OU ?

BARTHOLO – Il y a ET.

FIGARO – Il y a OU.

BRID'OISON – Dou-ouble-Main, lisez vous-même.

405   DOUBLE-MAIN, *prenant le papier* – Et c'est le plus sûr ; car souvent les parties déguisent en lisant. *(Il lit.)* « E, e, e, *Damoiselle* e, e, e, *de Verte-Allure*, e, e, e, Ah ! *laquelle somme je lui rendrai à sa réquisition, dans ce château…* ET… OU… ET… OU… – » Le mot est si mal écrit… il y a un pâté.

410   BRID'OISON – Un pâ-âté ? je sais ce que c'est.

BARTHOLO, *plaidant* – Je soutiens, moi, que c'est la conjonction copulative ET qui lie les membres corrélatifs de la phrase ; je payerai la demoiselle, ET je l'épouserai.

FIGARO, *plaidant* – Je soutiens, moi, que c'est la conjonction
415   alternative OU qui sépare lesdits membres ; je payerai la donzelle OU je l'épouserai. À pédant[3], pédant et demi. Qu'il s'avise de parler latin, j'y suis grec[4] ; je l'extermine.

notes

1. **avec dépens :** en payant les frais du procès.
2. **Alexandre le Grand :** conquérant grec du IVe s. av. J.-C.

3. **pédant :** qui fait étalage de son savoir, prétentieux.
4. **j'y suis grec :** je parle grec (langue plus rare et plus savante que le latin).

LE COMTE – Comment juger pareille question ?

BARTHOLO – Pour la trancher, messieurs, et ne plus chicaner sur un mot, nous passons qu'il y ait OU.

FIGARO – J'en demande acte.

BARTHOLO – Et nous y adhérons. Un si mauvais refuge ne sauvera pas le coupable. Examinons le titre en ce sens. *(Il lit.)* « *Laquelle somme je lui rendrai dans ce château où je l'épouserai.* » C'est ainsi qu'on dirait, messieurs : « *Vous vous ferez saigner dans ce lit* où *vous resterez chaudement* » ; c'est dans lequel. « *Il prendra deux gros*[1] *de rhubarbe* où *vous mêlerez un peu de tamarin*[2] » ; dans lesquels on mêlera. Ainsi « *château* où *je l'épouserai* », messieurs, c'est « *château dans lequel…* »

FIGARO – Point du tout : la phrase est dans le sens de celle-ci : « ou *la maladie vous tuera*, ou *ce sera le médecin* », ou bien *le médecin* ; c'est incontestable. Autre exemple : « ou *vous n'écrirez rien qui plaise*, ou *les sots vous dénigreront* » ; ou bien *les sots* ; le sens est clair ; car, audit cas, *sots* ou *méchants* sont le substantif qui gouverne. Maître Bartholo croit-il donc que j'aie oublié ma syntaxe ? Ainsi, je la payerai dans ce château, *virgule,* ou je l'épouserai…

BARTHOLO, *vite* – Sans virgule.

FIGARO, *vite* – Elle y est. C'est, *virgule,* messieurs, ou bien je l'épouserai.

BARTHOLO, *regardant le papier, vite* – Sans virgule, messieurs.

FIGARO, *vite* – Elle y était, messieurs. D'ailleurs, l'homme qui épouse est-il tenu de rembourser ?

BARTHOLO, *vite* – Oui ; nous nous marions séparés de biens.

notes..

1. *gros* : unité de mesure.
2. *tamarin* : fruit du tamarinier aux vertus

laxatives, comme la rhubarbe. Bartholo n'élève pas le débat !

445 FIGARO, *vite* – Et nous de corps, dès que mariage n'est pas quittance[1].

Les juges se lèvent et opinent tout bas.

BARTHOLO – Plaisant acquittement !

DOUBLE-MAIN – Silence, messieurs !

450 L'HUISSIER, *glapissant* – Silence !

BARTHOLO – Un pareil fripon appelle cela payer ses dettes !

FIGARO – Est-ce votre cause, avocat, que vous plaidez ?

BARTHOLO – Je défends cette demoiselle.

FIGARO – Continuez à déraisonner, mais cessez d'injurier.
455 Lorsque, craignant l'emportement des plaideurs, les tribunaux ont toléré qu'on appelât des tiers[2], ils n'ont pas entendu que ces défenseurs modérés deviendraient impunément des insolents privilégiés. C'est dégrader le plus noble institut.

Les juges continuent d'opiner bas.

460 ANTONIO, *à Marceline, montrant les juges* – Qu'ont-ils tant à balbucifier[3] ?

MARCELINE – On a corrompu le grand juge ; il corrompt l'autre, et je perds mon procès.

BARTHOLO, *bas, d'un ton sombre* – J'en ai peur.

465 FIGARO, *gaiement* – Courage, Marceline !

DOUBLE-MAIN *se lève ; à Marceline* – Ah ! c'est trop fort ! je vous dénonce ; et, pour l'honneur du tribunal, je demande qu'avant faire droit[4] sur l'autre affaire, il soit prononcé sur celle-ci.

notes ....

1. **quittance**: recouvrement des dettes.
2. **tiers**: avocats, personnes par définition étrangères au procès.

3. **balbucifier**: néologisme, déformation de *balbutier*.
4. **avant faire droit**: avant de rendre un jugement.

LE COMTE *s'assied* – Non, greffier, je ne prononcerai point sur
mon injure[1] personnelle, un juge espagnol n'aura point à
rougir d'un excès digne au plus des tribunaux asiatiques[2] : c'est
assez des autres abus ! J'en vais corriger un second, en vous
motivant mon arrêt : tout juge qui s'y refuse est un grand
ennemi des lois. Que peut requérir la demanderesse ? mariage
à défaut de payement ; les deux ensemble impliqueraient[3].

DOUBLE-MAIN – Silence, messieurs !

L'HUISSIER, *glapissant* – Silence !

LE COMTE – Que nous répond le défendeur ? qu'il veut garder
sa personne ; à lui permis.

FIGARO, *avec joie* – J'ai gagné !

LE COMTE – Mais comme le texte dit : « *Laquelle somme je payerai
à sa première réquisition, ou bien j'épouserai, etc.* », la Cour
condamne le défendeur à payer deux mille piastres fortes à la
demanderesse, ou bien à l'épouser dans le jour.

Il se lève.

FIGARO, *stupéfait* – J'ai perdu.

ANTONIO, *avec joie* – Superbe arrêt !

FIGARO – En quoi superbe ?

ANTONIO – En ce que tu n'es plus mon neveu. Grand merci,
Monseigneur.

L'HUISSIER, *glapissant*. Passez, messieurs.

Le peuple sort.

ANTONIO – Je m'en vas tout conter à ma nièce.

Il sort.

notes

1. **mon injure** : l'injure qui m'a été faite.
2. **tribunaux asiatiques** : tribunaux barbares
au sens premier, donc cruels (thème courant
au XVIIIᵉ siècle).

3. **impliqueraient** : seraient contradictoires.

Scène 16

LE COMTE, *allant de côté et d'autre ;* MARCELINE, BARTHOLO, FIGARO, BRID'OISON

495 MARCELINE *s'assied* – Ah ! je respire !

FIGARO – Et moi, j'étouffe.

LE COMTE, *à part* – Au moins je suis vengé, cela soulage.

FIGARO, *à part* – Et ce Bazile qui devait s'opposer au mariage de Marceline, voyez comme il revient ! *(Au Comte qui sort.)*
500 Monseigneur, vous nous quittez ?

LE COMTE – Tout est jugé.

FIGARO, *à Brid'oison* – C'est ce gros enflé de conseiller...

BRID'OISON – Moi, gros-os enflé !

FIGARO – Sans doute. Et je ne l'épouserai pas : je suis
505 gentilhomme, une fois[1].

Le Comte s'arrête.

BARTHOLO – Vous l'épouserez.

FIGARO – Sans l'aveu de mes nobles parents ?

BARTHOLO – Nommez-les, montrez-les.

510 FIGARO – Qu'on me donne un peu de temps : je suis bien près de les revoir ; il y a quinze ans que je les cherche.

BARTHOLO – Le fat[2] ! c'est quelque enfant trouvé !

FIGARO – Enfant perdu, docteur, ou plutôt enfant volé.

LE COMTE *revient* – Volé, perdu, la preuve ? Il crierait qu'on lui
515 fait injure !

---

notes

| 1. **une fois :** une fois pour toutes. | 2. **fat :** personnage vaniteux, satisfait de lui-même. |

FIGARO – Monseigneur, quand les langes à dentelles, tapis brodés et joyaux d'or trouvés sur moi par les brigands n'indiqueraient pas ma haute naissance, la précaution qu'on avait prise de me faire des marques distinctives témoignerait
520 assez combien j'étais un fils précieux : et cet hiéroglyphe[1] à mon bras...

Il veut se dépouiller le bras droit.

MARCELINE, *se levant vivement* – Une spatule[2] à ton bras droit ?

FIGARO – D'où savez-vous que je dois l'avoir ?

525 MARCELINE – Dieux ! c'est lui !

FIGARO – Oui, c'est moi.

BARTHOLO, *à Marceline* – Et qui ? lui !

MARCELINE, *vivement* – C'est Emmanuel[3].

BARTHOLO, *à Figaro* – Tu fus enlevé par des bohémiens ?

530 FIGARO, *exalté* – Tout près d'un château. Bon docteur, si vous me rendez à ma noble famille, mettez un prix à ce service ; des monceaux d'or n'arrêteront pas mes illustres parents.

BARTHOLO, *montrant Marceline* – Voilà ta mère.

FIGARO – ... Nourrice ?

535 BARTHOLO – Ta propre mère.

LE COMTE – Sa mère !

FIGARO – Expliquez-vous.

MARCELINE, *montrant Bartholo* – Voilà ton père.

FIGARO, *désolé* – Oooh ! aïe de moi !

passage analysé

notes ....

1. hiéroglyphe : caractère de l'écriture égyptienne ; ici, signe indéchiffrable (on n'a déchiffré les hiéroglyphes qu'au XIXe siècle).
2. spatule : instrument de chirurgie. Figaro porte une sorte de tatouage de cette forme, qui rappelle le métier de Bartholo.

3. Emmanuel : il s'agit de l'enfant qu'ont eu ensemble Marceline et Bartholo, et dont ils ont parlé à la scène 4 de l'acte I.

189

540 MARCELINE – Est-ce que la nature ne te l'a pas dit mille fois?

FIGARO – Jamais.

LE COMTE, *à part* – Sa mère!

BRID'OISON – C'est clair, i-il ne l'épousera pas.

BARTHOLO – Ni moi non plus[1].

545 MARCELINE – Ni vous! Et votre fils? Vous m'aviez juré...

BARTHOLO – J'étais fou. Si pareils souvenirs engageaient, on serait tenu d'épouser tout le monde.

BRID'OISON – E-et si l'on y regardait de si près, per-personne n'épouserait personne.

550 BARTHOLO – Des fautes si connues! une jeunesse déplorable.

MARCELINE, *s'échauffant par degrés* – Oui, déplorable, et plus qu'on ne croit! Je n'entends pas nier mes fautes; ce jour les a trop bien prouvées! mais qu'il est dur de les expier après trente ans d'une vie modeste! J'étais née, moi, pour être sage,
555 et je la suis devenue sitôt qu'on m'a permis d'user de ma raison. Mais dans l'âge des illusions, de l'inexpérience et des besoins, où les séducteurs nous assiègent pendant que la misère nous poignarde, que peut opposer une enfant à tant d'ennemis rassemblés? Tel nous juge ici sévèrement, qui, peut-
560 être, en sa vie a perdu dix infortunées!

FIGARO – Les plus coupables sont les moins généreux; c'est la règle.

MARCELINE, *vivement* – Hommes plus qu'ingrats, qui flétrissez par le mépris les jouets de vos passions, vos victimes! c'est
565 vous qu'il faut punir des erreurs de notre jeunesse; vous et vos magistrats, si vains du droit de nous juger, et qui nous laissent

note ....

1. «Ni moi non plus. [...] Nous attendrons»: ce qui suit, enfermé entre ces deux index a été retranché par les comédiens-français aux représentations de Paris. *(Note de Beaumarchais.)*

enlever, par leur coupable négligence, tout honnête moyen de subsister. Est-il un seul état pour les malheureuses filles ? Elles avaient un droit naturel à toute la parure des femmes[1] : on y laisse former mille ouvriers de l'autre sexe.

FIGARO, *en colère* – Ils font broder jusqu'aux soldats !

MARCELINE, *exaltée* – Dans les rangs même plus élevés, les femmes n'obtiennent de vous qu'une considération dérisoire ; leurrées[2] de respects apparents, dans une servitude réelle ; traitées en mineures pour nos biens, punies en majeures pour nos fautes ! Ah ! sous tous les aspects, votre conduite avec nous fait horreur ou pitié !

FIGARO – Elle a raison !

LE COMTE, *à part* – Que trop raison !

BRID'OISON – Elle a, mon-on Dieu ! raison.

MARCELINE – Mais que nous font, mon fils, les refus d'un homme injuste ? Ne regarde pas d'où tu viens, vois où tu vas ; cela seul importe à chacun. Dans quelques mois ta fiancée ne dépendra plus que d'elle-même ; elle t'acceptera, j'en réponds. Vis entre une épouse, une mère tendres qui te chériront à qui mieux mieux. Sois indulgent pour elles, heureux pour toi, mon fils ; gai, libre et bon pour tout le monde ; il ne manquera rien à ta mère.

FIGARO – Tu parles d'or, maman, et je me tiens à ton avis. Qu'on est sot, en effet ! Il y a des mille et mille ans que le monde roule, et dans cet océan de durée, où j'ai par hasard attrapé quelques chétifs trente ans qui ne reviendront plus, j'irais me tourmenter pour savoir à qui je les dois ! Tant pis pour qui s'en inquiète. Passer ainsi la vie à chamailler, c'est peser sur le

notes

1. **parure des femmes** : travaux d'aiguille, au départ réservés aux femmes. Marceline évoque ici la condition des femmes laissées sans revenus.

2. **leurrées** : trompées.

191

595 collier[1] sans relâche, comme les malheureux chevaux de la remonte[2] des fleuves, qui ne reposent pas même quand ils s'arrêtent, et qui tirent toujours, quoiqu'ils cessent de marcher. Nous attendrons.

LE COMTE – Sot événement qui me dérange !

600 BRID'OISON, *à Figaro* – Et la noblesse, et le château ? Vous impo-osez à la justice[3] !

FIGARO – Elle allait me faire faire une belle sottise, la justice ! Après que j'ai manqué, pour ces maudits cent écus, d'assommer vingt fois Monsieur, qui se trouve aujourd'hui

605 mon père ! Mais puisque le Ciel a sauvé ma vertu de ces dangers, mon père, agréez mes excuses... et vous, ma mère, embrassez-moi... le plus maternellement que vous pourrez.

Marceline lui saute au cou.

Scène 17

BARTHOLO, FIGARO,
MARCELINE, BRID'OISON,
SUZANNE, ANTONIO,
LE COMTE

SUZANNE, *accourant, une bourse à la main* – Monseigneur, arrêtez ; qu'on ne les marie pas : je viens payer madame avec la dot que

610 ma maîtresse me donne.

LE COMTE, *à part* – Au diable la maîtresse ! Il semble que tout conspire...

Il sort.

notes

1. **collier** : joug.
2. **remonte** : remorquage des bateaux par les chevaux.

3. **Vous impo-osez à la justice** : vous cherchez à tromper la justice.

Marcellina (Aidan Ferguson), Bartolo (Alexandre Sylvestre), Susanna (Hélène Guilmette) et Figaro (Robert Gleadow) dans *Le nozze di Figaro* à l'Opéra de Montréal (2011). *Le nozze di Figaro* a été composé par Wolfgang Amadeus Mozart (1786) à partir de la pièce de Beaumarchais.

Scène 18

BARTHOLO, ANTONIO,
SUZANNE, FIGARO,
MARCELINE, BRID'OISON

615 ANTONIO, *voyant Figaro embrasser sa mère, dit à Suzanne* – Ah ! oui, payer ! Tiens, tiens.

SUZANNE *se retourne* – J'en vois assez : sortons, mon oncle.

FIGARO, *l'arrêtant* – Non, s'il vous plaît ! Que vois-tu donc ?

SUZANNE – Ma bêtise et ta lâcheté.

620 FIGARO – Pas plus de l'une que de l'autre.

SUZANNE, *en colère* – Et que tu l'épouses à gré, puisque tu la caresses.

FIGARO, *gaiement* – Je la caresse, mais je ne l'épouse pas.

Suzanne veut sortir, Figaro la retient.

625 SUZANNE *lui donne un soufflet* – Vous êtes bien insolent d'oser me retenir !

FIGARO, *à la compagnie* – C'est-il çà de l'amour ! Avant de nous quitter, je t'en supplie, envisage bien cette chère femme-là.

SUZANNE – Je la regarde.

630 FIGARO – Et tu la trouves ?

SUZANNE – Affreuse.

FIGARO – Et vive la jalousie ! elle ne vous marchande pas.

MARCELINE, *les bras ouverts* – Embrasse ta mère, ma jolie Suzannette. Le méchant qui te tourmente est mon fils.

635 SUZANNE *court à elle* – Vous, sa mère !

Elles restent dans les bras l'une de l'autre.

ANTONIO – C'est donc de tout à l'heure ?

FIGARO – ... Que je le sais.

640 MARCELINE, *exaltée* – Non, mon cœur entraîné vers lui ne se trompait que de motif; c'était le sang qui me parlait.

FIGARO – Et moi le bon sens[1], ma mère, qui me servait d'instinct quand je vous refusais; car j'étais loin de vous haïr, témoin l'argent...

MARCELINE *lui remet un papier* – Il est à toi: reprends ton billet,
645 c'est ta dot.

SUZANNE *lui jette la bourse* – Prends encore celle-ci.

FIGARO – Grand merci.

MARCELINE, *exaltée* – Fille assez malheureuse, j'allais devenir la plus misérable des femmes, et je suis la plus fortunée des
650 mères! Embrassez-moi, mes deux enfants; j'unis dans vous toutes mes tendresses. Heureuse autant que je puis l'être, ah! mes enfants, combien je vais aimer!

FIGARO, *attendri, avec vivacité* – Arrête donc, chère mère! arrête donc! voudrais-tu voir se fondre en eau mes yeux noyés des
655 premières larmes que je connaisse? Elles sont de joie, au moins. Mais quelle stupidité! j'ai manqué d'en être honteux: je les sentais couler entre mes doigts: regarde; *(il montre ses doigts écartés)* et je les retenais bêtement! Va te promener, la honte! je veux rire et pleurer en même temps; on ne sent pas
660 deux fois ce que j'éprouve.

Il embrasse sa mère d'un côté, Suzanne de l'autre[2].

MARCELINE – Ô mon ami!

SUZANNE – Mon cher ami!

BRID'OISON, *s'essuyant les yeux d'un mouchoir* – Eh bien! moi, je
665 suis donc bê-ête aussi!

---

notes

1. sens: noter le jeu de mots sur l'homonymie de *sens* et *sang*.

2. Bartholo, Antonio, Suzanne, Figaro, Marceline, Brid'oison. *(Note de Beaumarchais.)*

FIGARO, *exalté* – Chagrin, c'est maintenant que je puis te défier! Atteins-moi, si tu l'oses, entre ces deux femmes chéries.

ANTONIO, *à Figaro* – Pas tant de cajoleries, s'il vous plaît. En fait de mariage dans les familles, celui des parents va devant, savez. Les vôtres se baillent-ils la main[1]?

670

BARTHOLO – Ma main! puisse-t-elle se dessécher et tomber, si jamais je la donne à la mère d'un tel drôle!

ANTONIO, *à Bartholo* – Vous n'êtes donc qu'un père marâtre[2]? *(À Figaro.)* En ce cas, not' galant[3], plus de parole.

675 SUZANNE – Ah! mon oncle...

ANTONIO – Irai-je donner l'enfant de not' sœur à sti[4] qui n'est l'enfant de personne?

BRID'OISON – Est-ce que cela-a se peut, imbécile? on-on est toujours l'enfant de quelqu'un.

680 ANTONIO – Tarare[5]!... Il ne l'aura jamais.
Il sort.

---

notes

1. **se baillent-ils la main:** se donnent-ils la main (pour se marier).
2. **marâtre:** belle-mère, mais aussi mère cruelle. L'union du nom et de l'adjectif est comique, le vocabulaire d'Antonio étant des plus fantaisistes.
3. **not' galant:** notre galant, notre prétendant.

4. **sti:** déformation de *celui-ci, cet homme-ci.*
5. **Tarare:** taratata; interjection qui exprime le dédain. C'est aussi le nom du héros de l'opéra éponyme de Beaumarchais, représenté en 1790.

Scène 19

BARTHOLO, SUZANNE,
FIGARO, MARCELINE,
BRID'OISON

BARTHOLO, *à Figaro.* – Et cherche à présent qui t'adopte.

Il veut sortir.

685 MARCELINE, *courant prendre Bartholo à bras-le-corps, le ramène* – Arrêtez, docteur, ne sortez pas!

FIGARO, *à part* – Non, tous les sots d'Andalousie sont, je crois, déchaînés contre mon pauvre mariage.

SUZANNE, *à Bartholo* – Bon petit papa, c'est votre fils.

MARCELINE, *à Bartholo* – De l'esprit, des talents, de la figure.

690 FIGARO, *à Bartholo* – Et qui ne vous a pas coûté une obole[1].

BARTHOLO – Et les cent écus qu'il m'a pris?

MARCELINE, *le caressant* – Nous aurons tant de soin de vous, papa!

SUZANNE, *le caressant* – Nous vous aimerons tant, petit papa!

695 BARTHOLO, *attendri* – Papa! bon papa! petit papa! Voilà que je suis plus bête encore que Monsieur, moi. *(Montrant Brid'oison.)* Je me laisse aller comme un enfant. *(Marceline et Suzanne l'embrassent.)* Oh! non, je n'ai pas dit oui. *(Il se retourne.)* Qu'est donc devenu Monseigneur?

700 FIGARO – Courons le joindre; arrachons-lui son dernier mot. S'il machinait quelque autre intrigue, il faudrait tout recommencer.

TOUS ENSEMBLE – Courons, courons.

Ils entraînent Bartholo dehors.

---

note ....

| **1. obole**: petite unité de monnaie datant de l'Antiquité.

Scène 20

BRID'OISON, *seul.*

705   Plus bê-ête encore que Monsieur! On peut se dire à soi-
même ces-es sortes de choses-là, mais... I-ils ne sont pas
polis du tout dan-ans cet endroit-ci.

Il sort.

**Portrait de
Brid'oison.**

Acte IV

Le théâtre représente une galerie ornée de candélabres, de lustres allumés, de fleurs, de guirlandes, en un mot, préparée pour donner une fête. Sur le devant, à droite, est une table avec une écritoire, un fauteuil derrière.

Scène 1   FIGARO, SUZANNE

FIGARO, *la tenant à bras-le-corps* – Eh bien! amour, es-tu contente? Elle a converti son docteur, cette fine langue dorée[1] de ma mère! Malgré sa répugnance, il l'épouse, et ton bourru d'oncle est bridé; il n'y a que Monseigneur qui rage, car enfin notre hymen va devenir le prix du leur. Ris donc un peu de ce bon résultat.

5

note

| **1. cette fine langue dorée**: Marceline est éloquente, elle «parle d'or».

SUZANNE – As-tu rien vu de plus étrange ?

FIGARO – Ou plutôt d'aussi gai. Nous ne voulions qu'une dot arrachée à l'Excellence ; en voilà deux dans nos mains, qui ne sortent pas des siennes. Une rivale acharnée te poursuivait ; j'étais tourmenté par une furie[1] ; tout cela s'est changé, pour nous, dans *la plus bonne*[2] des mères. Hier, j'étais comme seul au monde, et voilà que j'ai tous mes parents ; pas si magnifiques, il est vrai, que je me les étais galonnés[3] ; mais assez bien pour nous, qui n'avons pas la vanité des riches.

SUZANNE – Aucune des choses que tu avais disposées, que nous attendions, mon ami, n'est pourtant arrivée !

FIGARO – Le hasard a mieux fait que nous tous, ma petite. Ainsi va le monde ; on travaille, on projette, on arrange d'un côté ; la fortune[4] accomplit de l'autre : et depuis l'affamé conquérant qui voudrait avaler la terre, jusqu'au paisible aveugle qui se laisse mener par son chien, tous sont le jouet de ses caprices ; encore l'aveugle au chien est-il souvent mieux conduit, moins trompé dans ses vues que l'autre aveugle avec son entourage. — Pour cet aimable aveugle qu'on nomme Amour[5]…

Il la reprend tendrement à bras-le-corps.

SUZANNE – Ah ! c'est le seul qui m'intéresse !

FIGARO – Permets donc que, prenant l'emploi de la Folie[6], je sois le bon chien qui le mène à ta jolie mignonne porte ; et nous voilà logés pour la vie.

---

notes

1. **furie** : déesse de la Vengeance romaine qui poursuit les criminels. Les Furies sont habituellement trois.
2. *la plus bonne* : faute de langue à valeur expressive.
3. **je me les étais galonnés** : je leur avais donné du galon. Figaro s'imaginait ses parents plus haut placés dans la société.
4. **la fortune** : le hasard.

5. **cet aimable aveugle qu'on nomme Amour** : l'Amour est traditionnellement représenté comme un enfant aux yeux bandés qui décoche ses flèches au hasard.
6. **l'emploi de la Folie** : un récit mythologique raconte que la Folie aveugla l'Amour et pour cela fut obligée de lui servir de guide.

SUZANNE, *riant* – L'Amour et toi ?

FIGARO – Moi et l'Amour.

SUZANNE – Et vous ne chercherez pas d'autre gîte ?

FIGARO – Si tu m'y prends, je veux bien que mille millions de
35   galants...

SUZANNE – Tu vas exagérer : dis ta bonne vérité.

FIGARO – Ma vérité la plus vraie !

SUZANNE – Fi donc, vilain ! en a-t-on plusieurs ?

FIGARO – Oh ! que oui. Depuis qu'on a remarqué qu'avec le
40   temps vieilles folies deviennent sagesse, et qu'anciens petits
mensonges assez mal plantés ont produit de grosses, grosses
vérités, on en a de mille espèces. Et celles qu'on sait, sans oser
les divulguer : car toute vérité n'est pas bonne à dire ; et celles
qu'on vante, sans y ajouter foi : car toute vérité n'est pas bonne
45   à croire ; et les serments passionnés, les menaces des mères, les
protestations des buveurs, les promesses des gens en place, le
dernier mot de nos marchands, cela ne finit pas. Il n'y a que
mon amour pour Suzon qui soit une vérité de bon aloi[1].

SUZANNE – J'aime ta joie, parce qu'elle est folle ; elle annonce
50   que tu es heureux. Parlons du rendez-vous du Comte.

FIGARO – Ou plutôt n'en parlons jamais ; il a failli me coûter
Suzanne.

SUZANNE – Tu ne veux donc plus qu'il ait lieu ?

FIGARO – Si vous m'aimez, Suzon, votre parole d'honneur sur
55   ce point : qu'il s'y morfonde ; et c'est sa punition.

SUZANNE – Il m'en a plus coûté de l'accorder que je n'ai de
peine à le rompre : il n'en sera plus question.

note ....
| **1. de bon aloi** : de bonne qualité.

FIGARO – Ta bonne vérité ?

60 SUZANNE – Je ne suis pas comme vous autres savants, moi ! je n'en ai qu'une.

FIGARO – Et tu m'aimeras un peu ?

SUZANNE – Beaucoup.

FIGARO – Ce n'est guère.

SUZANNE – Et comment ?

65 FIGARO – En fait d'amour, vois-tu, trop n'est même pas assez.

SUZANNE – Je n'entends pas toutes ces finesses, mais je n'aimerai que mon mari.

FIGARO – Tiens parole, et tu feras une belle exception à l'usage.

Il veut l'embrasser.

Scène 2   FIGARO, SUZANNE, LA COMTESSE

70 LA COMTESSE – Ah ! j'avais raison de le dire ; en quelque endroit qu'ils soient, croyez qu'ils sont ensemble. Allons donc, Figaro, c'est voler l'avenir, le mariage et vous-même, que d'usurper un tête-à-tête. On vous attend, on s'impatiente.

FIGARO – Il est vrai, Madame, je m'oublie. Je vais leur montrer 75 mon excuse.

Il veut emmener Suzanne.

LA COMTESSE *la retient* – Elle vous suit.

Scène 3 SUZANNE, LA COMTESSE

LA COMTESSE – As-tu ce qu'il nous faut pour troquer[1] de vêtement?

80 SUZANNE – Il ne faut rien, Madame; le rendez-vous ne tiendra pas.

LA COMTESSE – Ah! vous changez d'avis?

SUZANNE – C'est Figaro.

LA COMTESSE – Vous me trompez.

85 SUZANNE – Bonté divine!

LA COMTESSE – Figaro n'est pas homme à laisser échapper une dot.

SUZANNE – Madame! eh! que croyez-vous donc?

LA COMTESSE – Qu'enfin, d'accord avec le Comte, il vous
90 fâche[2] à présent de m'avoir confié ses projets. Je vous sais par cœur. Laissez-moi.

Elle veut sortir.

SUZANNE *se jette à genoux* – Au nom du Ciel, espoir de tous! Vous ne savez pas, Madame, le mal que vous faites à Suzanne!
95 Après vos bontés continuelles et la dot que vous me donnez!...

LA COMTESSE *la relève* – Hé mais... je ne sais ce que je dis! En me cédant ta place au jardin, tu n'y vas pas, mon cœur; tu tiens parole à ton mari, tu m'aides à ramener le mien.

100 SUZANNE – Comme vous m'avez affligée!

LA COMTESSE – C'est que je ne suis qu'une étourdie. *(Elle la baise au front.)* Où est ton rendez-vous?

notes
....

| **1. troquer:** changer. | **2. il vous fâche:** vous regrettez.

203

SUZANNE *lui baise la main* – Le mot de jardin m'a seul frappée.

LA COMTESSE, *montrant la table* – Prends cette plume, et fixons un endroit.

SUZANNE – Lui écrire !

LA COMTESSE – Il le faut.

SUZANNE – Madame ! au moins c'est vous...

LA COMTESSE – Je mets tout sur mon compte.

Suzanne s'assied, la Comtesse dicte.

Chanson nouvelle, sur l'air : « Qu'il fera beau ce soir sous les grands marronniers... Qu'il fera beau ce soir... »

SUZANNE *écrit* – « Sous les grands marronniers... » Après ?

LA COMTESSE – Crains-tu qu'il ne t'entende pas ?

SUZANNE *relit* – C'est juste. *(Elle plie le billet.)* Avec quoi cacheter ?

LA COMTESSE – Une épingle, dépêche : elle servira de réponse. Écris sur le revers : *Renvoyez-moi le cachet.*

SUZANNE *écrit en riant* – Ah ! le cachet !... Celui-ci, Madame, est plus gai que celui du brevet.

LA COMTESSE, *avec un souvenir douloureux* – Ah !

SUZANNE *cherche sur elle* – Je n'ai pas d'épingle, à présent !

LA COMTESSE *détache sa lévite* – Prends celle-ci. *(Le ruban du page tombe de son sein à terre.)* Ah ! mon ruban !

SUZANNE *le ramasse* – C'est celui du petit voleur ! Vous avez eu la cruauté ?...

LA COMTESSE – Fallait-il le laisser à son bras ? C'eût été joli ! Donnez donc !

SUZANNE – Madame ne le portera plus, taché du sang de ce jeune homme.

130 LA COMTESSE *le reprend* – Excellent pour Fanchette. Le premier bouquet qu'elle m'apportera...

Scène 4

UNE JEUNE BERGÈRE,
CHÉRUBIN, *en fille,* FANCHETTE
*et beaucoup de jeunes filles habillées
comme elle, et tenant des bouquets,*
LA COMTESSE, SUZANNE

FANCHETTE – Madame, ce sont les filles du bourg qui viennent vous présenter des fleurs.

LA COMTESSE, *serrant*[1] *vite son ruban* – Elles sont charmantes. Je
135 me reproche, mes belles petites, de ne pas vous connaître toutes. *(Montrant Chérubin.)* Quelle est cette aimable enfant qui a l'air si modeste ?

UNE BERGÈRE – C'est une cousine à moi, Madame, qui n'est ici que pour la noce.

140 LA COMTESSE – Elle est jolie. Ne pouvant porter vingt bouquets, faisons honneur à l'étrangère. *(Elle prend le bouquet de Chérubin, et le baise au front.)* Elle en rougit ! *(À Suzanne.)* Ne trouves-tu pas, Suzon... qu'elle ressemble à quelqu'un ?

SUZANNE – À s'y méprendre, en vérité.

145 CHÉRUBIN, *à part, les mains sur son cœur* – Ah ! ce baiser-là m'a été bien loin !

note ....

| **1.** *serrant*: mettant à l'abri.

Scène 5

LES JEUNES FILLES, CHÉRUBIN
au milieu d'elles, FANCHETTE,
ANTONIO, LE COMTE,
LA COMTESSE, SUZANNE

ANTONIO – Moi je vous dis, Monseigneur, qu'il y est ; elles l'ont habillé chez ma fille ; toutes ses hardes y sont encore, et voilà son chapeau d'ordonnance[1] que j'ai retiré du paquet. *(Il*
150 *s'avance et regardant toutes les filles, il reconnaît Chérubin, lui enlève son bonnet de femme, ce qui fait retomber ses longs cheveux en cadenette[2]. Il lui met sur la tête le chapeau d'ordonnance et dit :)* Eh parguenne[3], v'là notre officier !

LA COMTESSE *recule* – Ah ! Ciel !

155 SUZANNE – Ce friponneau !

ANTONIO – Quand je disais là-haut que c'était lui !...

LE COMTE, *en colère* – Eh bien, Madame ?

LA COMTESSE – Eh bien, Monsieur ! vous me voyez plus surprise que vous et, pour le moins, aussi fâchée.

160 LE COMTE – Oui ; mais tantôt, ce matin ?

LA COMTESSE – Je serais coupable, en effet, si je dissimulais encore. Il était descendu chez moi. Nous entamions le badinage que ces enfants viennent d'achever ; vous nous avez surprises l'habillant : votre premier mouvement est si vif ! il s'est sauvé,
165 je me suis troublée ; l'effroi général a fait le reste.

LE COMTE, *avec dépit, à Chérubin* – Pourquoi n'êtes-vous pas parti ?

notes

1. **chapeau d'ordonnance**: chapeau de soldat.
2. *cadenette*: tresse de cheveux portée de chaque côté de la figure par les militaires de certaines unités.

3. **parguenne**: juron paysan, déformation de *par Dieu*.

CHÉRUBIN, *ôtant son chapeau brusquement* – Monseigneur...

LE COMTE – Je punirai ta désobéissance.

FANCHETTE, *étourdiment* – Ah, Monseigneur, entendez-moi !
Toutes les fois que vous venez m'embrasser, vous savez bien
que vous dites toujours : *Si tu veux m'aimer, petite Fanchette, je te
donnerai ce que tu voudras.*

LE COMTE, *rougissant* – Moi ! j'ai dit cela ?

FANCHETTE – Oui, Monseigneur. Au lieu de punir Chérubin,
donnez-le-moi en mariage, et je vous aimerai à la folie.

LE COMTE, *à part* – Être ensorcelé par un page !

LA COMTESSE – Eh bien, Monsieur, à votre tour ! L'aveu de cet
enfant aussi naïf que le mien atteste enfin deux vérités : que
c'est toujours sans le vouloir si je cause des inquiétudes,
pendant que vous épuisez tout pour augmenter et justifier les
miennes.

ANTONIO – Vous aussi, Monseigneur ? Dame ! je vous la[1]
redresserai comme feu sa mère, qui est morte... Ce n'est pas
pour la conséquence ; mais c'est que Madame sait bien que les
petites filles, quand elles sont grandes...

LE COMTE, *déconcerté, à part* – Il y a un mauvais génie qui tourne
tout ici contre moi !

note

| **1. la** : il s'agit de Fanchette.

Scène 6
LES JEUNES FILLES, CHÉRUBIN, ANTONIO,
FIGARO, LE COMTE, LA COMTESSE, SUZANNE

FIGARO – Monseigneur, si vous retenez nos filles, on ne pourra commencer ni la fête, ni la danse.

190 LE COMTE – Vous, danser ! vous n'y pensez pas. Après votre chute de ce matin, qui vous a foulé le pied droit !

FIGARO, *remuant la jambe* – Je souffre encore un peu ; ce n'est rien. *(Aux jeunes filles.)* Allons, mes belles, allons !

LE COMTE *le retourne* – Vous avez été fort heureux que ces
195 couches ne fussent que du terreau bien doux !

FIGARO – Très heureux, sans doute ; autrement...

ANTONIO *le retourne* – Puis il s'est pelotonné en tombant jusqu'en bas.

FIGARO – Un plus adroit, n'est-ce pas, serait resté en l'air ? *(Aux jeunes filles.)* Venez-vous, mesdemoiselles ?

200 ANTONIO *le retourne* – Et, pendant ce temps, le petit page galopait sur son cheval à Séville ?

FIGARO – Galopait, ou marchait au pas...

LE COMTE *le retourne* – Et vous aviez son brevet dans la poche ?

FIGARO, *un peu étonné* – Assurément ; mais quelle enquête ? *(Aux*
205 *jeunes filles.)* Allons donc, jeunes filles !

ANTONIO, *attirant Chérubin par le bras* – En voici une qui prétend que mon neveu futur n'est qu'un menteur.

FIGARO, *surpris* – Chérubin !... *(À part.)* Peste du petit fat !

ANTONIO – Y es-tu maintenant ?

210 FIGARO, *cherchant* – J'y suis... j'y suis... Hé ! qu'est-ce qu'il chante ?

LE COMTE, *sèchement* – Il ne chante pas ; il dit que c'est lui qui a sauté sur les giroflées.

FIGARO, *rêvant* – Ah! s'il le dit... cela se peut. Je ne dispute pas de ce que j'ignore.

215 LE COMTE – Ainsi vous et lui?...

FIGARO – Pourquoi non? la rage de sauter peut gagner: voyez les moutons de Panurge[1]; et quand vous êtes en colère, il n'y a personne qui n'aime mieux risquer...

LE COMTE – Comment, deux à la fois!...

220 FIGARO – On aurait sauté deux douzaines. Et qu'est-ce que cela fait, Monseigneur, dès qu'il n'y a personne de blessé? *(Aux jeunes filles.)* Ah çà, voulez-vous venir, ou non?

LE COMTE, *outré* – Jouons-nous une comédie?

On entend un prélude de fanfare.

225 FIGARO – Voilà le signal de la marche. À vos postes, les belles, à vos postes! Allons, Suzanne, donne-moi le bras.

Tous s'enfuient; Chérubin reste seul, la tête baissée.

Scène 7   CHÉRUBIN, LE COMTE, LA COMTESSE

LE COMTE, *regardant aller Figaro* – En voit-on de plus audacieux? *(Au page.)* Pour vous, monsieur le sournois, qui faites le honteux, 230 allez vous rhabiller bien vite, et que je ne vous rencontre nulle part de la soirée.

LA COMTESSE – Il va bien s'ennuyer.

CHÉRUBIN, *étourdiment* – M'ennuyer! j'emporte à mon front du bonheur pour plus de cent années de prison.

235 *Il met son chapeau et s'enfuit.*

---

note ....

| **1. les moutons de Panurge:** allusion aux moutons du célèbre personnage de Rabelais qui sautèrent tous d'un bateau et se noyèrent (*Quart livre*, chap. VIII).

Scène 8

Le Comte, La Comtesse

La Comtesse s'évente fortement sans parler.

Le Comte – Qu'a-t-il au front de si heureux ?

La Comtesse, *avec embarras* – Son... premier chapeau d'officier, sans doute ; aux enfants tout sert de hochet.

240   *Elle veut sortir.*

Le Comte – Vous ne nous restez pas, Comtesse ?

La Comtesse – Vous savez que je ne me porte pas bien.

Le Comte – Un instant pour votre protégée, ou je vous croirais en colère.

245   La Comtesse – Voici les deux noces, asseyons-nous donc pour les recevoir.

Le Comte, *à part* – La noce ! Il faut souffrir de ce qu'on ne peut empêcher.

Le Comte et la Comtesse s'asseyent vers un des côtés de la galerie.

Scène 9

Le Comte, La Comtesse, *assis ;*
l'on joue les Folies d'Espagne
d'un mouvement de marche.
(Symphonie notée.)

MARCHE

250   Les gardes-chasse, *fusil sur l'épaule.*

L'Alguazil. Les prud'hommes. Brid'oison.

Les paysans et paysannes *en habits de fête.*

DEUX JEUNES FILLES, *portant la toque virginale à plumes blanches.*

DEUX AUTRES, *le voile blanc.*

255 DEUX AUTRES, *les gants et le bouquet de côté.*

ANTONIO *donne la main à* SUZANNE, *comme étant celui qui la marie à* FIGARO.

D'AUTRES JEUNES FILLES *portent une autre toque, un autre voile, un autre bouquet blanc, semblables aux premiers, pour* MARCELINE.

260 FIGARO *donne la main à* MARCELINE, *comme celui qui doit la remettre au* DOCTEUR, *lequel ferme la marche, un gros bouquet au côté. Les jeunes filles, en passant devant le Comte, remettent à ses valets tous les ajustements destinés à* SUZANNE *et à* MARCELINE.

LES PAYSANS ET PAYSANNES *s'étant rangés sur deux colonnes à*
265 *chaque côté du salon, on danse une reprise du fandango[1] (air noté) avec des castagnettes ; puis on joue la ritournelle[2] du duo, pendant laquelle* ANTONIO *conduit* SUZANNE *au* COMTE ; *elle se met à genoux devant lui.*

Pendant que le COMTE *lui pose la toque, le voile, et lui donne le*
270 *bouquet, deux jeunes filles chantent le duo suivant (air noté) :*

Jeune épouse, chantez les bienfaits et la gloire
D'un maître qui renonce aux droits qu'il eut sur vous :
Préférant au plaisir la plus noble victoire,
Il vous rend chaste et pure aux mains de votre époux.

275 SUZANNE *est à genoux, et, pendant les derniers vers du duo, elle tire le* COMTE *par son manteau et lui montre le billet qu'elle tient : puis elle porte la main qu'elle a du côté des spectateurs à sa tête, où le* COMTE *a l'air d'ajuster sa toque ; elle lui donne le billet.*

---

notes

1. *fandango* : danse et air de danse espagnols de rythme assez vif, avec accompagnement de guitare et de castagnettes.

2. *ritournelle* : courte phrase qui précède ou suit un chant.

280 LE COMTE *le met furtivement dans son sein ; on achève de chanter le duo : la fiancée se relève, et lui fait une grande révérence.*

FIGARO *vient la recevoir des mains du* COMTE, *et se retire avec elle à l'autre côté du salon, près de* MARCELINE. *(On danse une autre reprise du fandango pendant ce temps.)*

285 LE COMTE, *pressé de lire ce qu'il a reçu, s'avance au bord du théâtre et tire le papier de son sein ; mais en le sortant il fait le geste d'un homme qui s'est cruellement piqué le doigt ; il le secoue, le presse, le suce, et regardant le papier cacheté d'une épingle, il dit :*

LE COMTE – *(Pendant qu'il parle, ainsi que Figaro, l'orchestre joue pianissimo.)* Diantre soit des femmes, qui fourrent des épingles
290 partout !

Il la jette à terre, puis il lit le billet et le baise.

FIGARO, *qui a tout vu, dit à sa mère et à Suzanne :* C'est un billet doux, qu'une fillette aura glissé dans sa main en passant. Il était cacheté d'une épingle, qui l'a outrageusement piqué.

295 *La danse reprend : le Comte qui a lu le billet le retourne ; il y voit l'invitation de renvoyer le cachet pour réponse. Il cherche à terre, et retrouve enfin l'épingle qu'il attache à sa manche.*

FIGARO, *à Suzanne et à Marceline* – D'un objet aimé tout est cher. Le voilà qui ramasse l'épingle. Ah ! c'est une drôle de tête !

300 *Pendant ce temps, Suzanne a des signes d'intelligence avec la Comtesse. La danse finit ; la ritournelle du duo recommence.*

FIGARO *conduit Marceline au Comte, ainsi qu'on a conduit Suzanne ; à l'instant où le Comte prend la toque, et où l'on va chanter le duo, on est interrompu par les cris suivants :*

305 L'HUISSIER, *criant à la porte* – Arrêtez donc, messieurs! vous ne pouvez entrer tous... Ici les gardes! les gardes!

Les gardes vont vite à cette porte.

LE COMTE, *se levant* – Qu'est-ce qu'il y a?

L'HUISSIER – Monseigneur, c'est monsieur Bazile entouré d'un
310 village entier, parce qu'il chante en marchant.

LE COMTE – Qu'il entre seul.

LA COMTESSE – Ordonnez-moi de me retirer.

LE COMTE – Je n'oublie pas votre complaisance.

LA COMTESSE – Suzanne!... Elle reviendra. (*À part, à Suzanne.*)
315 Allons changer d'habits.

Elle sort avec Suzanne.

MARCELINE – Il n'arrive jamais que pour nuire.

FIGARO – Ah! je m'en vais vous le faire déchanter[1].

Scène 10

TOUS LES ACTEURS
PRÉCÉDENTS, *excepté*
LA COMTESSE ET SUZANNE;
BAZILE *tenant sa guitare*;
GRIPE-SOLEIL

BAZILE *entre en chantant sur l'air du vaudeville[2] de la fin. (Air noté.)*
320 Cœurs sensibles, cœurs fidèles,
Qui blâmez l'amour léger,
Cessez vos plaintes cruelles:

notes
....

1. déchanter: jeu de mots sur le sens propre du verbe qui peut ici signifier «cesser de chanter» (Bazile est maître à chanter) et sur le sens figuré, «être déçu dans ses espérances».

2. vaudeville: nouveau couplet chanté sur un air ancien. Ce terme finit par donner son nom à un type de comédie en vogue au XIXe siècle.

Est-ce un crime de changer?
Si l'Amour porte des ailes,
325   N'est-ce pas pour voltiger?
N'est-ce pas pour voltiger?
N'est-ce pas pour voltiger?

FIGARO *s'avance à lui* – Oui, c'est pour cela justement qu'il a des ailes au dos. Notre ami, qu'entendez-vous par cette musique?

330 BAZILE, *montrant Gripe-Soleil* – Qu'après avoir prouvé mon obéissance à Monseigneur en amusant Monsieur, qui est de sa compagnie, je pourrai à mon tour réclamer sa justice.

GRIPE-SOLEIL – Bah! Monseigneu, il ne m'a pas amusé du tout: avec leux[1] guenilles d'ariettes[2]...

335 LE COMTE – Enfin que demandez-vous, Bazile?

BAZILE – Ce qui m'appartient, Monseigneur, la main de Marceline; et je viens m'opposer...

FIGARO *s'approche* – Y a-t-il longtemps que Monsieur n'a vu la figure d'un fou?

340 BAZILE – Monsieur, en ce moment même.

FIGARO – Puisque mes yeux vous servent si bien de miroir, étudiez-y l'effet de ma prédiction. Si vous faites mine seulement d'approximer[3] Madame...

BARTHOLO, *en riant* – Eh pourquoi? Laisse-le parler.

345 BRID'OISON *s'avance entre deux* – Fau-aut-il que deux amis?...

FIGARO – Nous, amis!

---

notes

1. **leux:** leurs.
2. **ariettes:** petites mélodies de caractère aimable, que méprise Gripe-Soleil.
3. **approximer:** approcher (néologisme à l'allure savante et grotesque).

BAZILE – Quelle erreur!

FIGARO, *vite* – Parce qu'il fait de plats airs de chapelle?

BAZILE, *vite* – Et lui, des vers comme un journal?

350 FIGARO, *vite* – Un musicien de guinguette[1]!

BAZILE, *vite* – Un postillon[2] de gazette[3].

FIGARO, *vite* – Cuistre[4] d'oratorio[5]!

BAZILE, *vite* – Jockey diplomatique[6]!

LE COMTE, *assis* – Insolents tous les deux!

355 BAZILE – Il me manque[7] en toute occasion.

FIGARO – C'est bien dit, si cela se pouvait!

BAZILE – Disant partout que je ne suis qu'un sot.

FIGARO – Vous me prenez donc pour un écho?

BAZILE – Tandis qu'il n'est pas un chanteur que mon talent n'ait
360   fait briller.

FIGARO – Brailler.

BAZILE – Il le répète!

FIGARO – Et pourquoi non, si cela est vrai? Es-tu un prince,
    pour qu'on te flagorne[8]? Souffre[9] la vérité, coquin, puisque tu
365   n'as pas de quoi gratifier[10] un menteur; ou si tu la crains de
    notre part, pourquoi viens-tu troubler nos noces?

---

notes

1. **guinguette**: cabaret de plein air où l'on va boire, manger et danser.
2. **postillon**: celui qui monte sur l'un des deux chevaux d'un attelage.
3. **gazette**: petit journal. Bazile fait allusion aux activités passées de Figaro dans le journalisme (voir acte V, scène 3) et futures en tant que courrier de dépêches au service du Comte.
4. **Cuistre**: personne qui fait étalage de son savoir.
5. **oratorio**: composition musicale dramatique.
6. **Jockey diplomatique**: synonyme du «postillon de gazette».
7. **Il me manque**: il me manque de respect.
8. **flagorne**: flatte bassement.
9. **Souffre**: supporte.
10. **gratifier**: récompenser.

BAZILE, *à Marceline* – M'avez-vous promis, oui ou non, si, dans quatre ans, vous n'étiez pas pourvue, de me donner la préférence ?

MARCELINE – À quelle condition l'ai-je promis ?

370 BAZILE – Que si vous retrouviez un certain fils perdu, je l'adopterais par complaisance[1].

TOUS ENSEMBLE – Il est trouvé.

BAZILE – Qu'à cela ne tienne !

TOUS ENSEMBLE, *montrant Figaro* – Et le voici.

375 BAZILE, *reculant de frayeur* – J'ai vu le diable !

BRID'OISON, *à Bazile* – Et vou-ous renoncez à sa chère mère ?

BAZILE – Qu'y aurait-il de plus fâcheux que d'être cru le père d'un garnement ?

FIGARO – D'en être cru le fils ; tu te moques de moi !

380 BAZILE, *montrant Figaro* – Dès que Monsieur est de quelque chose[2] ici, je déclare, moi, que je n'y suis plus de rien.
Il sort.

Scène 11

LES ACTEURS PRÉCÉDENTS,
excepté BAZILE

BARTHOLO, *riant* – Ah ! ah ! ah ! ah !

FIGARO, *sautant de joie* – Donc à la fin j'aurai ma femme !

385 LE COMTE, *à part* – Moi, ma maîtresse.
Il se lève.

BRID'OISON, *à Marceline* – Et tou-out le monde est satisfait.

LE COMTE – Qu'on dresse les deux contrats ; j'y signerai.

TOUS ENSEMBLE – Vivat !

notes

| 1. **complaisance** : désir de rendre service. | 2. **est de quelque chose** : est concerné par quelque chose. |

390 *Ils sortent.*

LE COMTE – J'ai besoin d'une heure de retraite[1].

Il veut sortir avec les autres.

Scène 12

GRIPE-SOLEIL, FIGARO,
MARCELINE, LE COMTE

GRIPE-SOLEIL, *à Figaro* – Et moi, je vais aider à ranger le feu d'artifice sous les grands marronniers, comme on l'a dit.

395 LE COMTE *revient en courant* – Quel sot a donné un tel ordre ?

FIGARO – Où est le mal ?

LE COMTE, *vivement* – Et la Comtesse qui est incommodée, d'où le verra-t-elle, l'artifice ? C'est sur la terrasse qu'il le faut, vis-à-vis son appartement.

400 FIGARO – Tu l'entends, Gripe-Soleil ? la terrasse.

LE COMTE – Sous les grands marronniers ! belle idée ! *(En s'en allant, à part.)* Ils allaient incendier[2] mon rendez-vous !

Scène 13

FIGARO, MARCELINE

FIGARO – Quel excès d'attention pour sa femme !

Il veut sortir.

notes ....

1. retraite : éloignement momentané du monde.
2. incendier : jeu de mots sur le sens propre et figuré du verbe. En mettant des feux d'artifice sous les marronniers, Gripe-Soleil va gâcher le rendez-vous secret de Suzanne et du Comte.

405 MARCELINE *l'arrête* – Deux mots, mon fils. Je veux m'acquitter avec toi : un sentiment mal dirigé m'avait rendue injuste envers ta charmante femme ; je la supposais d'accord avec le Comte, quoique j'eusse appris de Bazile qu'elle l'avait toujours rebuté.

410 FIGARO – Vous connaissiez mal votre fils de le croire ébranlé par ces impulsions féminines[1]. Je puis défier la plus rusée de m'en faire accroire.

MARCELINE – Il est toujours heureux de le penser, mon fils ; la jalousie...

415 FIGARO – ... N'est qu'un sot enfant de l'orgueil, ou c'est la maladie d'un fou. Oh ! j'ai là-dessus, ma mère, une philosophie... imperturbable ; et si Suzanne doit me tromper un jour, je le lui pardonne d'avance ; elle aura longtemps travaillé...

Il se retourne et aperçoit Fanchette qui cherche de côté et d'autre.

Scène 14

FIGARO, FANCHETTE,
MARCELINE

420 FIGARO – Eeeh !... ma petite cousine qui nous écoute !

FANCHETTE – Oh ! pour ça, non : on dit que c'est malhonnête.

FIGARO – Il est vrai ; mais comme cela est utile, on fait aller souvent l'un pour l'autre.

FANCHETTE – Je regardais si quelqu'un était là.

425 FIGARO – Déjà dissimulée[2], friponne ! vous savez bien qu'il n'y peut être.

notes ....

1. **ces impulsions féminines** : les mauvais sentiments jadis éprouvés par Marceline. | 2. **dissimulée** : menteuse.

FANCHETTE – Et qui donc?

FIGARO – Chérubin.

FANCHETTE – Ce n'est pas lui que je cherche, car je sais fort
bien où il est; c'est ma cousine Suzanne.

FIGARO – Et que lui veut ma petite cousine?

FANCHETTE – À vous, petit cousin, je le dirai. C'est... ce n'est
qu'une épingle que je veux lui remettre.

FIGARO, *vivement* – Une épingle! une épingle!... Et de quelle
part, coquine? À votre âge, vous faites déjà un mét... *(Il se
reprend et dit d'un ton doux.)* Vous faites déjà très bien tout ce
que vous entreprenez, Fanchette; et ma jolie cousine est si
obligeante...

FANCHETTE – À qui donc en a-t-il de se fâcher? Je m'en vais.

FIGARO, *l'arrêtant* – Non, non, je badine. Tiens, ta petite épingle est
celle que Monseigneur t'a dit de remettre à Suzanne, et qui
servait à cacheter un petit papier qu'il tenait: tu vois que je suis
au fait.

FANCHETTE – Pourquoi donc le demander, quand vous le savez
si bien?

FIGARO, *cherchant* – C'est qu'il est assez gai de savoir comment
Monseigneur s'y est pris pour te donner la commission.

FANCHETTE, *naïvement* – Pas autrement que vous le dites: *Tiens,
petite Fanchette, rends cette épingle à ta belle cousine, et dis-lui
seulement que c'est le cachet des grands marronniers.*

FIGARO – *Des grands?...*

FANCHETTE – *Marronniers.* Il est vrai qu'il a ajouté: *Prends garde
que personne ne te voie.*

219

455 FIGARO – Il faut obéir, ma cousine : heureusement personne ne vous a vue. Faites donc joliment votre commission, et n'en dites pas plus à Suzanne que Monseigneur n'a ordonné.

FANCHETTE – Et pourquoi lui en dirais-je ? Il me prend pour un enfant, mon cousin.

Elle sort en sautant.

Scène 15 FIGARO, MARCELINE

460 FIGARO – Hé bien, ma mère ?

MARCELINE – Hé bien, mon fils ?

FIGARO, *comme étouffé* – Pour celui-ci[1] !... Il y a réellement des choses... !

MARCELINE – Il y a des choses ! Hé, qu'est-ce qu'il y a ?

465 FIGARO, *les mains sur sa poitrine* – Ce que je viens d'entendre, ma mère, je l'ai là comme un plomb.

MARCELINE, *riant* – Ce cœur plein d'assurance n'était donc qu'un ballon gonflé ? une épingle a tout fait partir !

FIGARO, *furieux* – Mais cette épingle, ma mère, est celle qu'il a
470 ramassée !

MARCELINE, *rappelant ce qu'il a dit* – La jalousie ! oh ! j'ai là-dessus, ma mère, une philosophie... imperturbable ; et si Suzanne m'attrape un jour, je le lui pardonne...

FIGARO, *vivement* – Oh, ma mère ! On parle comme on sent :
475 mettez le plus glacé des juges à plaider dans sa propre cause, et voyez-le expliquer la loi ! Je ne m'étonne plus s'il avait tant d'humeur sur ce feu[2] ! Pour la mignonne aux fines épingles[3],

notef

1. Pour celui-ci : pour ce coup-ci.
2. tant d'humeur sur ce feu : tant de mauvaise humeur contre ce feu d'artifice.

3. fines épingles : l'adjectif « fines » peut être pris au sens propre, mais également au sens de « rusées ».

elle n'en est pas où elle le croit, ma mère, avec ses marronniers !
Si mon mariage est assez fait pour légitimer ma colère[1], en
480 revanche il ne l'est pas assez pour que je n'en puisse épouser
une autre, et l'abandonner...

MARCELINE – Bien conclu ! Abîmons[2] tout sur un soupçon.
Qui t'a prouvé, dis-moi, que c'est toi qu'elle joue[3], et non le
Comte ? L'as-tu étudiée[4] de nouveau, pour la condamner
485 sans appel ? Sais-tu si elle se rendra sous les arbres, à quelle
intention elle y va ? ce qu'elle y dira, ce qu'elle y fera ? Je te
croyais plus fort en jugement !

FIGARO, *lui baisant la main avec transport* – Elle a raison, ma mère ;
elle a raison, raison, toujours raison ! Mais accordons, maman,
490 quelque chose à la nature : on en vaut mieux après. Examinons
en effet avant d'accuser et d'agir. Je sais où est le rendez-vous.
Adieu, ma mère.

Il sort.

Scène 16

MARCELINE, *seule.*

Adieu. Et moi aussi, je le sais. Après l'avoir arrêté, veillons sur les
495 voies[5] de Suzanne, ou plutôt avertissons-la ; elle est si jolie
créature ! Ah ! quand l'intérêt personnel ne nous arme pas les unes
contre les autres, nous sommes toutes portées à soutenir notre
pauvre sexe opprimé contre ce fier, ce terrible... *(en riant)* et
pourtant un peu nigaud de sexe masculin.
500 *Elle sort.*

---

notes

1. Si mon mariage [...] colère : le mariage est
assez avancé pour que Figaro se sente
officiellement trompé et offensé.
2. Abîmons : perdons.

3. c'est toi qu'elle joue : c'est toi qu'elle
trompe.
4. étudiée : observée.
5. les voies : les projets.

Fanchette : « Tout ça pourtant m'a coûté un fier baiser sur la joue !... »
Gravure d'Émile Bayard.

Acte V

Le théâtre représente une salle de marronniers[1], dans un parc; deux pavillons, kiosques, ou temples de jardin[2], sont à droite et à gauche; le fond est une clairière ornée, un siège de gazon sur le devant. Le théâtre est obscur.

Scène 1

FANCHETTE, *seule, tenant d'une main deux biscuits et une orange, et de l'autre une lanterne de papier allumée.*

Dans le pavillon à gauche, a-t-il dit. C'est celui-ci. S'il allait ne pas venir à présent! mon petit rôle... Ces vilaines gens de l'office[3] qui ne voulaient pas seulement me donner une orange et deux biscuits! «Pour qui, mademoiselle? — Eh bien, monsieur, c'est pour quelqu'un. — Oh! nous savons». Et quand ça serait? Parce que Monseigneur ne veut pas le voir, faut-il

notes

1. *salle de marronniers*: parc planté de marronniers de façon géométrique.

2. *temples de jardin*: pavillons ouverts de tous côtés.
3. *l'office*: les cuisines.

qu'il meure de faim? — Tout ça pourtant m'a coûté un fier
baiser sur la joue!... Que sait-on? Il me le rendra peut-être. *(Elle
voit Figaro qui vient l'examiner; elle fait un cri.)* Ah!...

10   *Elle s'enfuit, et elle entre dans le pavillon à sa gauche.*

Scène 2

FIGARO, *un grand manteau sur les
épaules, un large chapeau rabattu,*
BAZILE, ANTONIO, BARTHOLO,
BRID'OISON, GRIPE-SOLEIL,
TROUPE DE VALETS ET DE
TRAVAILLEURS

FIGARO, *d'abord seul* – C'est Fanchette! *(Il parcourt des yeux les
autres à mesure qu'ils arrivent, et dit d'un ton farouche.)* Bonjour,
messieurs; bonsoir: êtes-vous tous ici?

BAZILE – Ceux que tu as pressés d'y venir.

15   FIGARO – Quelle heure est-il bien à peu près?

ANTONIO *regarde en l'air* – La lune devrait être levée.

BARTHOLO – Eh! quels noirs apprêts[1] fais-tu donc? Il a l'air
d'un conspirateur!

FIGARO, *s'agitant* – N'est-ce pas pour une noce, je vous prie, que
20   vous êtes rassemblés au château?

BRID'OISON – Cè-ertainement.

ANTONIO – Nous allions là-bas, dans le parc, attendre un signal
pour ta fête.

FIGARO – Vous n'irez pas plus loin, messieurs; c'est ici, sous ces
25   marronniers, que nous devons tous célébrer l'honnête fiancée
que j'épouse, et le loyal seigneur qui se l'est destinée.

note ....

| 1. noirs apprêts: complots maléfiques.

BAZILE, *se rappelant la journée* – Ah! vraiment, je sais ce que c'est. Retirons-nous, si vous m'en croyez: il est question d'un rendez-vous; je vous conterai cela près d'ici.

30 BRID'OISON, *à Figaro* – Nou-ous reviendrons.

FIGARO – Quand vous m'entendrez appeler, ne manquez pas d'accourir tous; et dites du mal de Figaro, s'il ne vous fait voir une belle chose.

BARTHOLO – Souviens-toi qu'un homme sage ne se fait point
35 d'affaires[1] avec les grands.

FIGARO – Je m'en souviens.

BARTHOLO – Qu'ils ont quinze et bisque[2] sur nous, par leur état.

FIGARO – Sans leur industrie[3], que vous oubliez. Mais souvenez-
40 vous aussi que l'homme qu'on sait timide est dans la dépendance de tous les fripons.

BARTHOLO – Fort bien.

FIGARO – Et que j'ai nom *de Verte-Allure*, du chef honoré de ma mère[4].

45 BARTHOLO – Il a le diable au corps.

BRID'OISON – I-il l'a.

BAZILE, *à part* – Le Comte et sa Suzanne se sont arrangés sans moi? Je ne suis pas fâché de l'algarade[5].

FIGARO, *aux valets* – Pour vous autres, coquins, à qui j'ai donné
50 l'ordre, illuminez-moi ces entours[6]; ou, par la mort que je voudrais tenir aux dents, si j'en saisis un par le bras...

notes

1. **affaires:** querelles.
2. **ils ont quinze et bisque:** ils ont l'avantage. Terme du jeu de paume, avantage de quinze points au joueur le moins fort.
3. **industrie:** ensemble de ruses malhonnêtes.

4. **du chef [...] de ma mère:** qui me vient de ma mère (terme juridique).
5. **algarade:** dispute inattendue.
6. **entours:** alentours.

Il secoue le bras de Gripe-Soleil.

GRIPE-SOLEIL *s'en va en criant et pleurant* – A, a, o, oh! damné brutal!

BAZILE, *en s'en allant* – Le Ciel vous tienne en joie, monsieur du
55   marié[1]!

Ils sortent.

Scène 3

FIGARO, *seul, se promenant dans*
l'obscurité, dit du ton le plus sombre:

Ô femme! femme! femme! créature faible et décevante[2]!... nul
animal créé ne peut manquer à son instinct: le tien est-il donc
de tromper?... Après m'avoir obstinément refusé quand je l'en
60 pressais devant sa maîtresse; à l'instant qu'elle me donne sa
parole, au milieu même de la cérémonie... Il riait en lisant, le
perfide! et moi comme un benêt... Non, monsieur le Comte,
vous ne l'aurez pas... vous ne l'aurez pas. Parce que vous êtes un
grand seigneur, vous vous croyez un grand génie!... Noblesse,
65 fortune, un rang, des places, tout cela rend si fier! Qu'avez-vous
fait pour tant de biens? Vous vous êtes donné la peine de naître,
et rien de plus. Du reste, homme assez ordinaire! tandis que
moi, morbleu! perdu dans la foule obscure, il m'a fallu déployer
plus de science et de calculs, pour subsister seulement, qu'on
70 n'en a mis depuis cent ans à gouverner toutes les Espagnes! et
vous voulez jouter... On vient... c'est elle... ce n'est personne.
La nuit est noire en diable, et me voilà faisant le sot métier de

passage analysé

notes

1. monsieur du marié: écho ironique au
«monsieur du Bazile» (I, 2) que Bazile n'a
pas entendu, puisque Figaro était seul en
scène.

2. décevante: trompeuse (sens premier,
beaucoup plus fort que le sens actuel).

mari[1], quoique je ne le sois qu'à moitié ! *(Il s'assied sur un banc.)*
Est-il rien de plus bizarre que ma destinée ? Fils de je ne sais pas
75 qui, volé par des bandits, élevé dans leurs mœurs, je m'en
dégoûte et veux courir une carrière honnête ; et partout je suis
repoussé ! J'apprends la chimie, la pharmacie, la chirurgie, et
tout le crédit d'un grand seigneur peut à peine me mettre à la
main une lancette[2] vétérinaire ! Las d'attrister des bêtes malades,
80 et pour faire un métier contraire[3], je me jette à corps perdu dans
le théâtre : me fussé-je mis une pierre au cou ! Je broche[4] une
comédie dans les mœurs du sérail[5]. Auteur espagnol, je crois
pouvoir y fronder[6] Mahomet sans scrupule : à l'instant un
envoyé... de je ne sais où se plaint que j'offense dans mes vers la
85 Sublime-Porte[7], la Perse, une partie de la presqu'île de l'Inde,
toute l'Égypte, les royaumes de Barca[8], de Tripoli, de Tunis,
d'Alger et du Maroc : et voilà ma comédie flambée[9], pour plaire
aux princes mahométans, dont pas un, je crois, ne sait lire, et qui
nous meurtrissent l'omoplate, en nous disant : *chiens de chrétiens.*
90 Ne pouvant avilir[10] l'esprit, on se venge en le maltraitant. Mes
joues creusaient, mon terme était échu[11] : je voyais de loin
arriver l'affreux recors[12], la plume fichée dans sa perruque : en
frémissant je m'évertue. Il s'élève une question sur la nature des

passage analysé

notes

1. faisant le sot métier de mari : le mari est
traditionnellement dans la farce cocu et
jaloux.
2. lancette : instrument de chirurgie qui sert
à pratiquer les saignées.
3. pour faire un métier contraire : rendre
heureux les hommes en bonne santé (qui est
le contraire d'attrister les bêtes malades).
4. Je broche : j'écris rapidement.
5. dans les mœurs du sérail : sur les mœurs
du sérail, c'est-à-dire le palais turc, qui
comprend le harem. Le thème est à la mode
(cf. les *Lettres persanes* de Montesquieu).
6. fronder : critiquer en se moquant.

7. Sublime-Porte : l'Empire ottoman (actuelle
Turquie).
8. les royaumes de Barca : actuelle Libye.
9. ma comédie flambée : au XVIIIᵉ siècle, on
fait encore brûler les écrits dangereux pour
l'autorité politique et religieuse.
Beaumarchais aura lui-même bien des
démêlés avec la censure.
10. avilir : dégrader, rabaisser.
11. mon terme était échu : le loyer n'était
toujours pas payé.
12. recors : celui qui accompagnait un
huissier pour lui servir de témoin et lui prêter
main-forte au besoin.

richesses ; et, comme il n'est pas nécessaire de tenir les choses pour en raisonner, n'ayant pas un sol[1], j'écris sur la valeur de l'argent et sur son produit net[2] : sitôt je vois du fond d'un fiacre baisser pour moi le pont d'un château fort, à l'entrée duquel je laissai l'espérance et la liberté[3]. *(Il se lève.)* Que je voudrais bien tenir un de ces puissants de quatre jours, si légers sur le mal qu'ils ordonnent, quand une bonne disgrâce a cuvé[4] son orgueil ! Je lui dirais... que les sottises imprimées n'ont d'importance qu'aux lieux où l'on en gêne le cours ; que, sans la liberté de blâmer, il n'est point d'éloge flatteur ; et qu'il n'y a que les petits hommes qui redoutent les petits écrits. *(Il se rassied.)* Las de nourrir un obscur pensionnaire, on me met un jour dans la rue ; et comme il faut dîner, quoiqu'on ne soit plus en prison, je taille encore ma plume, et demande à chacun de quoi il est question : on me dit que, pendant ma retraite économique[5], il s'est établi dans Madrid un système de liberté sur la vente des productions, qui s'étend même à celles de la presse ; et que, pourvu que je ne parle en mes écrits ni de l'autorité, ni du culte, ni de la politique, ni de la morale, ni des gens en place, ni des corps[6] en crédit, ni de l'Opéra, ni des autres spectacles, ni de personne qui tienne à quelque chose, je puis tout imprimer librement, sous l'inspection de deux ou trois censeurs. Pour profiter de cette douce liberté, j'annonce un

passage analysé

notes

1. sol : unité de monnaie.
2. produit net : bénéfice.
3. l'espérance et la liberté : allusion biographique. Beaumarchais fut plusieurs fois jeté en prison.

4. a cuvé : littéralement, *a fermenté*. L'orgueil diminue à force de mauvais traitements.
5. retraite économique : la prison, où l'on ne dépense pas beaucoup d'argent !
6. corps : institutions.

écrit périodique, et, croyant n'aller sur les brisées[1] d'aucun autre, je le nomme *Journal inutile*. Pou-ou! je vois s'élever contre moi mille pauvres diables à la feuille[2], on me supprime, et me voilà derechef[3] sans emploi! Le désespoir m'allait saisir; on pense à moi pour une place, mais par malheur j'y étais propre : il fallait un calculateur, ce fut un danseur qui l'obtint. Il ne me restait plus qu'à voler; je me fais banquier de pharaon[4] : alors, bonnes gens! je soupe en ville, et les personnes dites *comme il faut* m'ouvrent poliment leur maison, en retenant pour elles les trois quarts du profit. J'aurais bien pu me remonter; je commençais même à comprendre que, pour gagner du bien, le savoir-faire vaut mieux que le savoir. Mais comme chacun pillait autour de moi, en exigeant que je fusse honnête, il fallut bien périr encore. Pour le coup je quittais le monde, et vingt brasses d'eau m'en allaient séparer, lorsqu'un dieu bienfaisant m'appelle à mon premier état. Je reprends ma trousse et mon cuir anglais[5]; puis, laissant la fumée aux sots qui s'en nourrissent, et la honte au milieu du chemin comme trop lourde à un piéton, je vais rasant de ville en ville, et je vis enfin sans souci. Un grand seigneur[6] passe à Séville; il me reconnaît, je le marie; et pour prix d'avoir eu par mes soins son épouse, il veut intercepter la mienne! Intrigue, orage à ce sujet. Prêt à tomber dans un abîme, au moment d'épouser ma mère, mes parents m'arrivent

passage analysé

140 à la file. *(Il se lève en s'échauffant.)* On se débat, c'est vous, c'est lui, c'est moi, c'est toi, non, ce n'est pas nous; eh! mais qui donc? *(Il retombe assis.)* Ô bizarre suite d'événements! Comment cela m'est-il arrivé? Pourquoi ces choses et non pas d'autres? Qui les a fixées sur ma tête? Forcé de parcourir la

145 route où je suis entré sans le savoir, comme j'en sortirai sans le vouloir, je l'ai jonchée d'autant de fleurs que ma gaieté me l'a permis: encore je dis ma gaieté sans savoir si elle est à moi plus que le reste, ni même quel est ce *moi* dont je m'occupe: un assemblage informe de parties inconnues; puis un chétif être

150 imbécile[1], un petit animal folâtre[2]; un jeune homme ardent au plaisir, ayant tous les goûts pour jouir, faisant tous les métiers pour vivre; maître ici, valet là, selon qu'il plaît à la fortune[3]; ambitieux par vanité, laborieux par nécessité, mais paresseux... avec délices! orateur selon le danger; poète par délassement;

155 musicien par occasion; amoureux par folles bouffées; j'ai tout vu, tout fait, tout usé. Puis l'illusion s'est détruite et, trop désabusé... Désabusé!... Suzon, Suzon, Suzon! que tu me donnes de tourments!... J'entends marcher... on vient. Voici l'instant de la crise[4].

160 *Il se retire près de la première coulisse à sa droite.*

passage analysé

---

notes

1. **imbécile**: faible.
2. **folâtre**: gai, enjoué.
3. **à la fortune**: au hasard.

4. **crise**: moment décisif d'une pièce. Encore une fois ici, Beaumarchais joue à introduire le thème du théâtre dans le théâtre.

Scène 4

FIGARO, LA COMTESSE, *avec les habits de Suzon*, SUZANNE, *avec ceux de la Comtesse*, MARCELINE

SUZANNE, *bas à la Comtesse* – Oui, Marceline m'a dit que Figaro y serait.

MARCELINE – Il y est aussi ; baisse la voix.

165 SUZANNE – Ainsi l'un[1] nous écoute, et l'autre[2] va venir me chercher. Commençons.

MARCELINE – Pour n'en pas perdre un mot, je vais me cacher dans le pavillon.

Elle entre dans le pavillon où est entrée Fanchette.

Scène 5

FIGARO, LA COMTESSE, SUZANNE

SUZANNE, *haut* – Madame tremble ! est-ce qu'elle aurait froid ?

170 LA COMTESSE, *haut* – La soirée est humide, je vais me retirer.

SUZANNE, *haut* – Si Madame n'avait pas besoin de moi, je prendrais l'air un moment sous ces arbres.

LA COMTESSE, *haut* – C'est le serein[3] que tu prendras.

SUZANNE, *haut* – J'y suis toute faite.

175 FIGARO, *à part* – Ah oui, le serein !

Suzanne se retire près de la coulisse, du côté opposé à Figaro.

notes

| 1. l'un : Figaro.
| 2. l'autre : le Comte.

| 3. le serein : la fraîcheur des soirs d'été.

Scène 6

FIGARO, CHÉRUBIN, LE COMTE,
LA COMTESSE, SUZANNE *(Figaro
et Suzanne retirés de chaque côté
sur le devant.)*

CHÉRUBIN, *en habit d'officier, arrive en chantant gaiement la reprise
de l'air de la romance* – La, la, la, etc.

> J'avais une marraine,
180 > Que toujours adorai.

LA COMTESSE, *à part* – Le petit page !

CHÉRUBIN *s'arrête* – On se promène ici ; gagnons vite mon asile,
où la petite Fanchette... C'est une femme !

LA COMTESSE *écoute* – Ah, grands dieux !

185 CHÉRUBIN *se baisse en regardant de loin* – Me trompé-je ? à cette
coiffure en plumes qui se dessine au loin dans le crépuscule, il
me semble que c'est Suzon.

LA COMTESSE, *à part* – Si le Comte arrivait !...

Le Comte paraît dans le fond.

190 CHÉRUBIN *s'approche et prend la main de la Comtesse qui se
défend* – Oui, c'est la charmante fille qu'on nomme Suzanne.
Eh ! pourrais-je m'y méprendre à la douceur de cette main, à
ce petit tremblement qui l'a saisie ; surtout au battement de
mon cœur !

195 *Il veut y appuyer le dos de la main de la Comtesse ; elle la retire.*

LA COMTESSE, *bas* – Allez-vous-en !

CHÉRUBIN – Si la compassion t'avait conduite exprès dans cet
endroit du parc, où je suis caché depuis tantôt ?...

LA COMTESSE – Figaro va venir.

200 LE COMTE, *s'avançant, dit à part* – N'est-ce pas Suzanne que j'aperçois?

CHÉRUBIN, *à la Comtesse* – Je ne crains point du tout Figaro, car ce n'est pas lui que tu attends.

LA COMTESSE – Qui donc?

205 LE COMTE, *à part* – Elle est avec quelqu'un.

CHÉRUBIN – C'est Monseigneur, friponne, qui t'a demandé ce rendez-vous ce matin, quand j'étais derrière le fauteuil.

LE COMTE, *à part, avec fureur* – C'est encore le page infernal!

FIGARO, *à part* – On dit qu'il ne faut pas écouter!

210 SUZANNE, *à part* – Petit bavard!

LA COMTESSE, *au page* – Obligez-moi de vous retirer.

CHÉRUBIN – Ce ne sera pas au moins sans avoir reçu le prix de mon obéissance.

LA COMTESSE, *effrayée* – Vous prétendez?...

215 CHÉRUBIN, *avec feu* – D'abord vingt baisers pour ton compte, et puis cent pour ta belle maîtresse.

LA COMTESSE – Vous oseriez?...

CHÉRUBIN – Oh! que oui, j'oserai. Tu prends sa place auprès de Monseigneur; moi celle du Comte auprès de toi: le plus
220 attrapé, c'est Figaro.

FIGARO, *à part* – Ce brigandeau!

SUZANNE, *à part* – Hardi comme un page.

Chérubin veut embrasser la Comtesse; le Comte se met entre deux et reçoit le baiser.

225 LA COMTESSE, *se retirant* – Ah! Ciel!

FIGARO, *à part, entendant le baiser* – J'épousais une jolie mignonne !
Il écoute.

CHÉRUBIN, *tâtant les habits du Comte* – *(À part.)* C'est Monseigneur !
Il s'enfuit dans le pavillon où sont entrées Fanchette et Marceline.

Scène 7

FIGARO, LE COMTE,
LA COMTESSE, SUZANNE

230 FIGARO *s'approche* – Je vais...

LE COMTE, *croyant parler au page* – Puisque vous ne redoublez pas le baiser...

Il croit lui donner un soufflet.

FIGARO, *qui est à portée, le reçoit* – Ah !

235 LE COMTE – ...Voilà toujours le premier payé.

FIGARO *s'éloigne en se frottant la joue, à part* – Tout n'est pas gain non plus, en écoutant.

SUZANNE, *riant tout haut, de l'autre côté* – Ah ! ah ! ah ! ah !

LE COMTE, *à la Comtesse, qu'il prend pour Suzanne* – Entend-on
240 quelque chose à ce page ? Il reçoit le plus rude soufflet, et s'enfuit en éclatant de rire.

FIGARO, *à part* – S'il s'affligeait de celui-ci !...

LE COMTE – Comment ! je ne pourrai faire un pas... *(À la Comtesse.)* Mais laissons cette bizarrerie ; elle empoisonnerait
245 le plaisir que j'ai de te trouver dans cette salle.

LA COMTESSE, *imitant le parler de Suzanne* – L'espériez-vous ?

LE COMTE – Après ton ingénieux billet ! *(Il lui prend la main.)* Tu trembles ?

LA COMTESSE – J'ai eu peur.

250 LE COMTE – Ce n'est pas pour te priver du baiser que je l'ai pris.

Il la baise au front.

LA COMTESSE – Des libertés !

FIGARO, *à part* – Coquine !

SUZANNE, *à part* – Charmante !

255 LE COMTE *prend la main de sa femme* – Mais quelle peau fine et douce, et qu'il s'en faut que la Comtesse ait la main aussi belle !

LA COMTESSE, *à part* – Oh ! la prévention[1] !

LE COMTE – A-t-elle ce bras ferme et rondelet ! ces jolis doigts pleins de grâce et d'espièglerie ?

260 LA COMTESSE, *de la voix de Suzanne* – Ainsi l'amour...

LE COMTE – L'amour... n'est que le roman du cœur : c'est le plaisir qui en est l'histoire, il m'amène à tes genoux.

LA COMTESSE – Vous ne l'aimez plus ?

LE COMTE – Je l'aime beaucoup ; mais trois ans d'union rendent
265 l'hymen si respectable !

LA COMTESSE – Que vouliez-vous en elle ?

LE COMTE, *la caressant* – Ce que je trouve en toi, ma beauté...

LA COMTESSE – Mais dites donc.

LE COMTE – ... Je ne sais : moins d'uniformité peut-être, plus de
270 piquant dans les manières, un je-ne-sais-quoi qui fait le charme ; quelquefois un refus, que sais-je ? Nos femmes croient tout accomplir en nous aimant ; cela dit une fois, elles nous aiment, nous aiment (quand elles nous aiment) et sont si complaisantes et si constamment obligeantes, et toujours, et
275 sans relâche, qu'on est tout surpris, un beau soir, de trouver la satiété où l'on recherchait le bonheur.

note ....

| 1. **la prévention** : le préjugé.

235

LA COMTESSE, *à part* – Ah! quelle leçon!

LE COMTE – En vérité, Suzon, j'ai pensé mille fois que si nous poursuivons ailleurs ce plaisir qui nous fuit chez elles, c'est qu'elles n'étudient pas assez l'art de soutenir notre goût, de se renouveler à l'amour, de ranimer, pour ainsi dire, le charme de leur possession par celui de la variété.

LA COMTESSE, *piquée* – Donc elles doivent tout?...

LE COMTE, *riant* – Et l'homme rien? Changerons-nous la marche de la nature? Notre tâche, à nous, fut de les obtenir; la leur...

LA COMTESSE – La leur?...

LE COMTE – Est de nous retenir: on l'oublie trop.

LA COMTESSE – Ce ne sera pas moi.

LE COMTE – Ni moi.

FIGARO, *à part* – Ni moi.

SUZANNE, *à part* – Ni moi.

LE COMTE *prend la main de sa femme* – Il y a de l'écho ici, parlons plus bas. Tu n'as nul besoin d'y songer, toi que l'amour a faite et si vive et si jolie! Avec un grain de caprice, tu seras la plus agaçante maîtresse! (*Il la baise au front.*) Ma Suzanne, un Castillan n'a que sa parole. Voici tout l'or du monde promis pour le rachat du droit que je n'ai plus sur le délicieux moment que tu m'accordes. Mais comme la grâce que tu daignes y mettre est sans prix, j'y joindrai ce brillant, que tu porteras pour l'amour de moi.

LA COMTESSE, *une révérence* – Suzanne accepte tout.

FIGARO, *à part* – On n'est pas plus coquine que cela.

SUZANNE, *à part* – Voilà du bon bien qui nous arrive.

LE COMTE, *à part* – Elle est intéressée; tant mieux!

305   LA COMTESSE *regarde au fond* – Je vois des flambeaux.

LE COMTE – Ce sont les apprêts de ta noce[1]. Entrons-nous un moment dans l'un de ces pavillons, pour les laisser passer?

LA COMTESSE – Sans lumière?

LE COMTE *l'entraîne doucement* – À quoi bon? Nous n'avons
310   rien à lire.

FIGARO, *à part* – Elle y va, ma foi! Je m'en doutais.

Il s'avance.

LE COMTE *grossit sa voix en se retournant* – Qui passe ici?

FIGARO, *en colère* – Passer! on vient exprès.

315   LE COMTE, *bas, à la Comtesse* – C'est Figaro!...

Il s'enfuit.

LA COMTESSE – Je vous suis.

Elle entre dans le pavillon à sa droite, pendant que le Comte se perd dans le bois au fond.

Scène 8   FIGARO, SUZANNE, *dans l'obscurité.*

320   FIGARO *cherche à voir où vont le Comte et la Comtesse, qu'il prend pour Suzanne* – Je n'entends plus rien; ils sont entrés, m'y voilà. *(D'un ton altéré.)* Vous autres, époux maladroits, qui tenez des espions à gages et tournez des mois entiers autour d'un soupçon sans l'asseoir[2], que ne m'imitez-vous? Dès le premier jour, je suis ma
325   femme et je l'écoute; en un tour de main, on est au fait: c'est charmant; plus de doutes; on sait à quoi s'en tenir. *(Marchant vivement.)* Heureusement que je ne m'en soucie guère, et que sa trahison ne me fait plus rien du tout. Je les tiens donc enfin!

notes
....

1. les apprêts de ta noce: ce qui a été préparé pour ta noce.

2. sans l'asseoir: sans le confirmer.

SUZANNE, *qui s'est avancée doucement dans l'obscurité* – *(À part.)* Tu
vas payer tes beaux soupçons. *(Du ton de voix de la Comtesse.)*
Qui va là?

FIGARO, *extravagant* – Qui va là? Celui qui voudrait de bon
cœur que la peste eût étouffé en naissant[1]...

SUZANNE, *du ton de la Comtesse* – Eh! mais, c'est Figaro!

FIGARO *regarde et dit vivement* – Madame la Comtesse!

SUZANNE – Parlez bas.

FIGARO, *vite* – Ah! Madame, que le Ciel vous amène à propos!
Où croyez-vous qu'est Monseigneur?

SUZANNE – Que m'importe un ingrat? Dis-moi...

FIGARO, *plus vite* – Et Suzanne, mon épousée, où croyez-vous
qu'elle soit?

SUZANNE – Mais parlez bas!

FIGARO, *très vite* – Cette Suzon qu'on croyait si vertueuse, qui
faisait la réservée! Ils sont enfermés là-dedans. Je vais appeler.

SUZANNE, *lui fermant la bouche avec sa main, oublie de déguiser sa
voix* – N'appelez pas!

FIGARO, *à part* – Et c'est Suzon! *God-dam!*

SUZANNE, *du ton de la Comtesse* – Vous paraissez inquiet.

FIGARO, *à part* – Traîtresse! qui veut me surprendre!

SUZANNE – Il faut nous venger, Figaro.

FIGARO – En sentez-vous le vif désir?

SUZANNE – Je ne serais donc pas de mon sexe! Mais les
hommes en ont cent moyens.

note ....

1. que la peste eût étouffé en naissant... : Figaro va prononcer le nom de Suzanne ou
du Comte.

FIGARO, *confidemment* – Madame, il n'y a personne ici de trop. Celui des femmes[1]... les vaut tous.

355

SUZANNE, *à part* – Comme je le so...ffletterais!

FIGARO, *à part* – Il serait bien gai qu'avant la noce...

SUZANNE – Mais qu'est-ce qu'une telle vengeance, qu'un peu d'amour n'assaisonne pas?

360

FIGARO – Partout où vous n'en voyez point, croyez que le respect dissimule[2].

SUZANNE, *piquée* – Je ne sais si vous le pensez de bonne foi, mais vous ne le dites pas de bonne grâce.

FIGARO, *avec une chaleur comique, à genoux* – Ah! Madame, je vous adore. Examinez le temps, le lieu, les circonstances, et que le dépit supplée en vous aux grâces qui manquent à ma prière.

365

SUZANNE, *à part* – La main me brûle!

FIGARO, *à part* – Le cœur me bat.

SUZANNE – Mais, Monsieur, avez-vous songé?...

370

FIGARO – Oui, Madame; oui, j'ai songé.

SUZANNE – ... Que pour la colère et l'amour...

FIGARO – Tout ce qui se diffère est perdu. Votre main, Madame?

SUZANNE, *de sa voix naturelle et lui donnant un soufflet* – La voilà.

FIGARO – Ah! *demonio*[3]! quel soufflet!

375

SUZANNE *lui en donne un second* – Quel soufflet! Et celui-ci?

FIGARO – Et *quès-à-quo*[4]? de par le diable! est-ce ici la journée des tapes?

---

notes

1. **Celui des femmes:** le puissant moyen de vengeance des femmes est de tromper leur époux.
2. **le respect dissimule:** le respect que la Comtesse inspire à Figaro empêchait ce

dernier de la courtiser, c'est du moins ce qu'il tente de faire croire à Suzanne.
3. **demonio!:** diable! (juron espagnol).
4. **quès-à-quo?:** que se passe-t-il? (expression provençale).

SUZANNE *le bat à chaque phrase* – Ah! *quès-à-quo?* Suzanne : voilà
pour tes soupçons, voilà pour tes vengeances et pour tes
trahisons, tes expédients, tes injures et tes projets. C'est-il çà
de l'amour? dis donc comme ce matin?

FIGARO *rit en se relevant* – *Santa Barbara!* oui, c'est de l'amour. Ô
bonheur! ô délices! ô cent fois heureux Figaro! Frappe, ma
bien-aimée, sans te lasser. Mais quand tu m'auras diapré[1] tout
le corps de meurtrissures, regarde avec bonté, Suzon, l'homme
le plus fortuné qui fut jamais battu par une femme.

SUZANNE – *Le plus fortuné!* Bon fripon, vous n'en séduisiez pas
moins la Comtesse, avec un si trompeur babil[2] que m'oubliant
moi-même, en vérité, c'était pour elle que je cédais.

FIGARO – Ai-je pu me méprendre au son de ta jolie voix?

SUZANNE, *en riant* – Tu m'as reconnue? Ah! comme je m'en
vengerai!

FIGARO – Bien rosser et garder rancune est aussi par trop
féminin! Mais dis-moi donc par quel bonheur je te vois là,
quand je te croyais avec lui; et comment cet habit, qui
m'abusait[3], te montre enfin innocente...

SUZANNE – Eh! c'est toi qui es un innocent, de venir te prendre
au piège apprêté pour un autre. Est-ce notre faute, à nous, si
voulant museler un renard, nous en attrapons deux?

FIGARO – Qui donc prend l'autre?

SUZANNE – Sa femme.

FIGARO – Sa femme?

SUZANNE – Sa femme.

---

notes

1. **diapré**: paré de couleurs variées.
2. **babil**: bavardage.

3. **m'abusait**: me trompait.

FIGARO, *follement* – Ah! Figaro! pends-toi! tu n'as pas deviné celui-là[1]. Sa femme? Oh! douze ou quinze mille fois spirituelles femmes! Ainsi les baisers de cette salle[2]?...

SUZANNE – Ont été donnés à Madame.

FIGARO – Et celui du page?

SUZANNE, *riant* – À Monsieur.

FIGARO – Et tantôt, derrière le fauteuil?

SUZANNE – À personne.

FIGARO – En êtes-vous sûre?

SUZANNE, *riant* – Il pleut des soufflets, Figaro.

FIGARO *lui baise la main* – Ce sont des bijoux que les tiens. Mais celui du Comte était de bonne guerre.

SUZANNE – Allons, superbe[3], humilie-toi!

FIGARO *fait tout ce qu'il annonce* – Cela est juste : à genoux, bien courbé, prosterné, ventre à terre.

SUZANNE *en riant* – Ah! ce pauvre Comte! quelle peine il s'est donnée...

FIGARO *se relève sur ses genoux* – ...Pour faire la conquête de sa femme.

Scène 9

LE COMTE *entre par le fond du théâtre et va droit au pavillon à sa droite ;* FIGARO, SUZANNE

LE COMTE, *à lui-même* – Je la cherche en vain dans le bois, elle est peut-être entrée ici.

notes

1. celui-là : ce tour-là.
2. cette salle : ce parc.

3. superbe : orgueilleux.

425   SUZANNE, *à Figaro, parlant bas* – C'est lui.

LE COMTE, *ouvrant le pavillon* – Suzon, es-tu là dedans ?

FIGARO, *bas* – Il la cherche, et moi je croyais...

SUZANNE, *bas* – Il ne l'a pas reconnue.

FIGARO – Achevons-le, veux-tu ?

430   *Il lui baise la main.*

LE COMTE *se retourne* – Un homme aux pieds de la Comtesse !...
Ah ! je suis sans armes.

Il s'avance.

FIGARO *se relève tout à fait en déguisant sa voix* – Pardon, Madame,
435   si je n'ai pas réfléchi que ce rendez-vous ordinaire était destiné
pour la noce.

LE COMTE, *à part* – C'est l'homme du cabinet de ce matin.

Il se frappe le front.

FIGARO *continue* – Mais il ne sera pas dit qu'un obstacle aussi sot
440   aura retardé nos plaisirs.

LE COMTE, *à part* – Massacre ! mort ! enfer !

FIGARO, *la conduisant au cabinet* – *(Bas.)* Il jure. *(Haut.)* Pressons-
nous donc, Madame, et réparons le tort qu'on nous a fait
tantôt, quand j'ai sauté par la fenêtre.

445   LE COMTE, *à part* – Ah ! tout se découvre enfin.

SUZANNE, *près du pavillon à sa gauche* – Avant d'entrer, voyez si
personne n'a suivi.

Il la baise au front.

LE COMTE *s'écrie :* Vengeance !

450   *Suzanne s'enfuit dans le pavillon où sont entrés Fanchette, Marceline
et Chérubin.*

Scène 10

LE COMTE, FIGARO

Le Comte saisit le bras de Figaro.

FIGARO, *jouant la frayeur excessive* – C'est mon maître!

LE COMTE *le reconnaît* – Ah! scélérat, c'est toi! Holà! quelqu'un,
455   quelqu'un!

Scène 11

PÉDRILLE, LE COMTE, FIGARO

PÉDRILLE, *botté* – Monseigneur, je vous trouve enfin.

LE COMTE – Bon, c'est Pédrille. Es-tu tout seul?

PÉDRILLE – Arrivant de Séville, à étripe-cheval[1].

LE COMTE – Approche-toi de moi, et crie bien fort!

460   PÉDRILLE, *criant à tue-tête* – Pas plus de page que sur ma main.
Voilà le paquet[2].

LE COMTE *le repousse* – Eh! l'animal!

PÉDRILLE – Monseigneur me dit de crier.

LE COMTE, *tenant toujours Figaro* – Pour appeler. Holà, quelqu'un!
465   Si l'on m'entend, accourez tous!

PÉDRILLE – Figaro et moi, nous voilà deux; que peut-il donc
vous arriver?

---

notes

1. à étripe-cheval: Pédrille a bien fatigué son
cheval pour revenir vite.

2. paquet: ce dernier contient le brevet du
page (III, 3).

Scène 12

LES ACTEURS PRÉCÉDENTS,
BRID'OISON, BARTHOLO,
BAZILE, ANTONIO,
GRIPE-SOLEIL, *toute la noce*
accourt avec des flambeaux.

BARTHOLO, *à Figaro* – Tu vois qu'à ton premier signal...

LE COMTE, *montrant le pavillon à sa gauche* – Pédrille, empare-toi
de cette porte.

Pédrille y va.

BAZILE, *bas, à Figaro* – Tu l'as surpris avec Suzanne ?

LE COMTE, *montrant Figaro* – Et vous, tous mes vassaux,
entourez-moi cet homme, et m'en répondez sur la vie.

BAZILE – Ha ! ha !

LE COMTE, *furieux* – Taisez-vous donc ! *(À Figaro, d'un ton glacé.)*
Mon cavalier[1], répondrez-vous à mes questions ?

FIGARO, *froidement* – Eh ! qui pourrait m'en exempter,
Monseigneur ? Vous commandez à tout ici, hors à vous-même.

LE COMTE, *se contenant* – Hors à moi-même !

ANTONIO – C'est ça parler.

LE COMTE, *reprenant sa colère* – Non, si quelque chose pouvait
augmenter ma fureur, ce serait l'air calme qu'il affecte.

FIGARO – Sommes-nous des soldats qui tuent et se font tuer pour des
intérêts qu'ils ignorent ? Je veux savoir, moi, pourquoi je me fâche.

LE COMTE, *hors de lui* – Ô rage ! *(Se contenant.)* Homme de bien
qui feignez d'ignorer, nous ferez-vous au moins la faveur de

---

note ....

| **1. Mon cavalier :** appellation ironique. Figaro n'est qu'un serviteur.

nous dire quelle est la dame actuellement par vous amenée dans ce pavillon?

490 FIGARO, *montrant l'autre avec malice* – Dans celui-là?

LE COMTE, *vite* – Dans celui-ci.

FIGARO, *froidement* – C'est différent. Une jeune personne qui m'honore de ses bontés particulières.

BAZILE, *étonné* – Ha! ha!

495 LE COMTE, *vite* – Vous l'entendez, messieurs?

BARTHOLO, *étonné* – Nous l'entendons?

LE COMTE, *à Figaro* – Et cette jeune personne a-t-elle un autre engagement, que vous sachiez?

FIGARO, *froidement* – Je sais qu'un grand seigneur s'en est occupé
500 quelque temps, mais, soit qu'il l'ait négligée ou que je lui plaise mieux qu'un plus aimable, elle me donne aujourd'hui la préférence.

LE COMTE, *vivement* – La préf... *(Se contenant.)* Au moins il est naïf! car ce qu'il avoue, messieurs, je l'ai ouï, je vous jure, de
505 la bouche même de sa complice.

BRID'OISON, *stupéfait* – Sa-a complice!

LE COMTE, *avec fureur* – Or, quand le déshonneur est public, il faut que la vengeance le soit aussi.

Il entre dans le pavillon.

Scène 13

TOUS LES ACTEURS
PRÉCÉDENTS, *hors* LE COMTE

510 ANTONIO – C'est juste.

BRID'OISON, *à Figaro* – Qui-i donc a pris la femme de l'autre?

FIGARO, *en riant* – Aucun n'a eu cette joie-là.

Scène 14

LES ACTEURS PRÉCÉDENTS,
LE COMTE, CHÉRUBIN

LE COMTE, *parlant dans le pavillon, et attirant quelqu'un qu'on ne voit pas encore* – Tous vos efforts sont inutiles ; vous êtes perdue,
515 Madame, et votre heure est bien arrivée ! *(Il sort sans regarder.)* Quel bonheur qu'aucun gage d'une union si détestée**[1]**...

FIGARO *s'écrie* – Chérubin !

LE COMTE – Mon page ?

BAZILE – Ha ! ha !

520 LE COMTE, *hors de lui, à part* – Et toujours le page endiablé ! *(À Chérubin.)* Que faisiez-vous dans ce salon ?

CHÉRUBIN, *timidement* – Je me cachais, comme vous me l'avez ordonné.

PÉDRILLE – Bien la peine de crever un cheval !

525 LE COMTE – Entres-y, toi, Antonio ; conduis devant son juge l'infâme qui m'a déshonoré.

BRID'OISON – C'est Madame que vous y-y cherchez ?

ANTONIO – L'y a, parguenne, une bonne Providence : vous en avez tant fait dans le pays**[2]**...

530 LE COMTE, *furieux* – Entre donc !

Antonio entre.

---

notes

1. **Quel bonheur [...] détestée** : le Comte et la Comtesse n'ont pas encore d'enfant (voir la suite de leur histoire dans *La mère coupable*).

2. **vous en avez tant fait dans le pays** : dans la région, le Comte est connu pour avoir trompé la Comtesse de nombreuses fois.

Scène 15

LES ACTEURS PRÉCÉDENTS,
excepté ANTONIO

LE COMTE – Vous allez voir, messieurs, que le page n'y était pas seul.

CHÉRUBIN, *timidement* – Mon sort eût été trop cruel, si quelque
535 âme sensible n'en eût adouci l'amertume.

Scène 16

LES ACTEURS PRÉCÉDENTS,
ANTONIO, FANCHETTE

ANTONIO, *attirant par le bras quelqu'un qu'on ne voit pas
encore* – Allons, Madame, il ne faut pas vous faire prier pour en
sortir, puisqu'on sait que vous y êtes entrée.

FIGARO *s'écrie* – La petite cousine!

540 BAZILE – Ha! ha!

LE COMTE – Fanchette!

ANTONIO *se retourne et s'écrie* – Ah! palsambleu, Monseigneur, il
est gaillard[1] de me choisir pour montrer à la compagnie que
c'est ma fille qui cause tout ce train-là[2]!

545 LE COMTE, *outré* – Qui la savait là-dedans?

Il veut rentrer.

BARTHOLO, *au devant* – Permettez, monsieur le Comte, ceci
n'est pas plus clair. Je suis de sang-froid, moi...

Il entre.

550 BRID'OISON – Voilà une affaire au-aussi trop embrouillée.

notes
....

| **1. il est gaillard:** il est trop audacieux. | **2. ce train-là:** cette agitation. |

Scène 17

LES ACTEURS PRÉCÉDENTS,
MARCELINE

BARTHOLO, *parlant en dedans et sortant* — Ne craignez rien, Madame, il ne vous sera fait aucun mal. J'en réponds. *(Il se retourne et s'écrie :)* Marceline !

BAZILE — Ha ! ha !

555 FIGARO, *riant* — Hé, quelle folie ! ma mère en est ?

ANTONIO — À qui pis fera.

LE COMTE, *outré* — Que m'importe à moi ? La Comtesse…

Scène 18

LES ACTEURS PRÉCÉDENTS,
SUZANNE, *son éventail sur
le visage.*

LE COMTE — …Ah ! la voici qui sort. *(Il la prend violemment par le bras.)* Que croyez-vous, messieurs, que mérite une

560 odieuse…? *(Suzanne se jette à genoux la tête baissée.)* — *Le Comte :* Non, non ! *(Figaro se jette à genoux de l'autre côté.)* — *Le Comte, plus fort :* Non, non ! *(Marceline se jette à genoux devant lui.)* — *Le Comte, plus fort :* Non, non ! *(Tous se mettent à genoux, excepté Brid'oison.)* — *Le Comte, hors de lui :* Y fussiez-

565 vous un cent[1] !

note ....

| 1. un cent : une centaine.

248

Scène 19
et dernière

LA COMTESSE *se jette à genoux* – Au moins je ferai nombre.

LE COMTE, *regardant la Comtesse et Suzanne* – Ah! qu'est-ce que je vois?

BRID'OISON, *riant* – Eh pardi, c'è-est Madame.

570 LE COMTE *veut relever la Comtesse* – Quoi! c'était vous, Comtesse? *(D'un ton suppliant.)* Il n'y a qu'un pardon bien généreux...

LA COMTESSE, *en riant* – Vous diriez: *Non, non* à ma place; et moi, pour la troisième fois aujourd'hui, je l'accorde sans condition.

Elle se relève.

575 SUZANNE *se relève* – Moi aussi.

MARCELINE *se relève* – Moi aussi.

FIGARO *se relève* – Moi aussi, il y a de l'écho[1] ici!

Tous se relèvent.

LE COMTE – De l'écho! — J'ai voulu ruser avec eux; ils m'ont
580 traité comme un enfant!

LA COMTESSE, *en riant* – Ne le regrettez pas, monsieur le Comte.

FIGARO, *s'essuyant les genoux avec son chapeau* – Une petite journée comme celle-ci forme bien un ambassadeur.

LE COMTE, *à Suzanne* – Ce billet fermé d'une épingle?...

585 SUZANNE – C'est Madame qui l'avait dicté.

LE COMTE – La réponse lui en est bien due.

Il baise la main de la Comtesse.

---

note ....

| **1. il y a de l'écho** : réplique déjà prononcée par le Comte (V, 7).

LA COMTESSE – Chacun aura ce qui lui appartient.

Elle donne la bourse à Figaro et le diamant à Suzanne.

590 SUZANNE, *à Figaro* – Encore une dot !

FIGARO, *frappant la bourse dans sa main* – Et de trois. Celle-ci fut rude à arracher !

SUZANNE – Comme notre mariage.

GRIPE-SOLEIL – Et la jarretière[1] de la mariée, l'aurons-je[2] ?

595 LA COMTESSE *arrache le ruban qu'elle a tant gardé dans son sein et le jette à terre* – La jarretière ? Elle était avec ses habits ; la voilà.

Les garçons de la noce veulent la ramasser.

CHÉRUBIN, *plus alerte[3], court la prendre, et dit* – Que celui qui la veut vienne me la disputer !

600 LE COMTE, *en riant, au page* – Pour un monsieur si chatouilleux, qu'avez-vous trouvé de gai à certain soufflet de tantôt ?

CHÉRUBIN *recule en tirant à moitié son épée* – À moi, mon Colonel ?

FIGARO, *avec une colère comique* – C'est sur ma joue qu'il l'a reçu :
605 voilà comme les grands font justice !

LE COMTE, *riant* – C'est sur sa joue ? Ah ! ah ! ah ! qu'en dites-vous donc, ma chère Comtesse !

LA COMTESSE, *absorbée, revient à elle et dit avec sensibilité* – Ah ! oui, cher Comte, et pour la vie, sans distraction, je vous le jure.

610 LE COMTE, *frappant sur l'épaule du juge* – Et vous, don Brid'oison, votre avis maintenant ?

notes

1. jarretière : ruban qui entoure le bas de la mariée. C'est un porte-bonheur que l'on donne à l'un des invités de la noce.

2. l'aurons-je : parodie de langage paysan.

3. *alerte* : rapide.

BRID'OISON – Su-ur tout ce que je vois, monsieur le Comte?...
Ma-a foi, pour moi je-e ne sais que vous dire : voilà ma façon
de penser.

615 TOUS ENSEMBLE – Bien jugé !

FIGARO – J'étais pauvre, on me méprisait. J'ai montré quelque
esprit, la haine est accourue. Une jolie femme et de la
fortune...

BARTHOLO, *en riant* – Les cœurs vont te revenir en foule.

620 FIGARO – Est-il possible ?

BARTHOLO – Je les connais.

FIGARO, *saluant les spectateurs* – Ma femme et mon bien mis à
part, tous me feront honneur et plaisir.

On joue la ritournelle du vaudeville. Air noté.

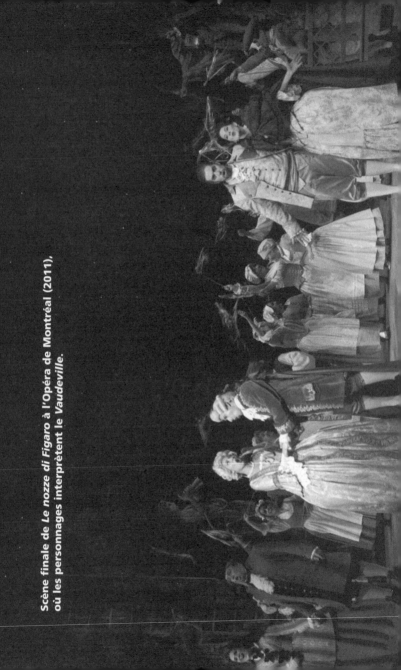

Scène finale de *Le nozze di Figaro* à l'Opéra de Montréal (2011), où les personnages interprètent le *Vaudeville*.

VAUDEVILLE

Premier couplet

BAZILE

Triple dot, femme superbe,
Que de biens pour un époux!
D'un seigneur, d'un page imberbe,
Quelque sot serait jaloux.
Du latin d'un vieux proverbe
L'homme adroit fait son parti.

FIGARO – Je le sais... *(Il chante.)* Gaudeant bene nati[1].
BAZILE – Non. ... *(Il chante.)* Gaudeat bene *nanti*.

note ....

1. Gaudeant bene nati : « Heureux les gens bien nés. » Bazile fait un jeu de mots en transformant *nati* en *nanti* : « Heureux le bien nanti. »

Deuxième couplet

SUZANNE

Qu'un mari sa foi trahisse,

10 Il s'en vante, et chacun rit :

Que sa femme ait un caprice,

S'il l'accuse, on la punit.

De cette absurde injustice

Faut-il dire le pourquoi ?

15 Les plus forts ont fait la loi. *(Bis)*

Troisième couplet

FIGARO

Jean Jeannot[1], jaloux risible,

Veut unir femme et repos ;

Il achète un chien terrible,

Et le lâche en son enclos.

20 La nuit, quel vacarme horrible !

Le chien court, tout est mordu,

Hors l'amant qui l'a vendu. *(Bis.)*

Quatrième couplet

LA COMTESSE

Telle est fière et répond d'elle,

Qui n'aime plus son mari ;

note ....

| **1. Jean Jeannot :** personnage de fabliau.

254

25 Telle autre, presque infidèle,
Jure de n'aimer que lui.
La moins folle, hélas! est celle
Qui se veille en son lien[1],
Sans oser jurer de rien. *(Bis.)*

Cinquième couplet
LE COMTE

30 D'une femme de province,
À qui ses devoirs sont chers,
Le succès est assez mince;
Vive la femme aux bons airs!
Semblable à l'écu du Prince,
35 Sous le coin[2] d'un seul époux,
Elle sert au bien de tous. *(Bis.)*

Sixième couplet
MARCELINE

Chacun sait la tendre mère
Dont il a reçu le jour;
Tout le reste est un mystère,
40 C'est le secret de l'amour.

notes
....

1. **Qui se veille en son lien:** qui reste fidèle. | 2. **coin:** morceau de métal servant à imprimer la monnaie.

FIGARO *continue l'air.*
Ce secret met en lumière
Comment le fils d'un butor[1]
Vaut souvent son pesant d'or. *(Bis.)*

Septième couplet
FIGARO
Par le sort de la naissance,
45 L'un est roi, l'autre est berger :
Le hasard fit leur distance ;
L'esprit seul peut tout changer.
De vingt rois que l'on encense,
Le trépas brise l'autel ;
50 Et Voltaire est immortel. *(Bis.)*

Huitième couplet
CHÉRUBIN
Sexe aimé, sexe volage,
Qui tourmentez nos beaux jours,
Si de vous chacun dit rage[2],
Chacun vous revient toujours.
55 Le parterre est votre image :
Tel paraît le dédaigner,
Qui fait tout pour le gagner. *(Bis.)*

notes ....

| **1. butor :** homme grossier, stupide. | **2. dit rage :** maudit. |

Vaudeville

Neuvième couplet
SUZANNE

Si ce gai, ce fol ouvrage,
Renfermait quelque leçon,
En faveur du badinage
Faites grâce à la raison[1].
Ainsi la nature sage
Nous conduit, dans nos désirs,
À son but par les plaisirs. *(Bis.)*

Dixième couplet
BRID'OISON

Or, messieurs, la co-omédie,
Que l'on juge en cè-et instant
Sauf erreur, nous pein-eint la vie
Du bon peuple qui l'entend.
Qu'on l'opprime, il peste, il crie,
Il s'agite en cent fa-açons;
Tout fini-it par des chansons. *(Bis.)*

BALLET GÉNÉRAL

---

note ....

1. **Faites grâce à la raison:** il faut pardonner à la pièce ce qu'elle peut avoir de moralisateur, puisqu'elle est gaie et plaisante.

Test de première lecture

❶ Dans quel lieu et à quel moment débute l'action à la scène 1 de l'acte I ?

❷ Qui sont Figaro et Suzanne ?

❸ Quel lien Figaro et Suzanne entretiennent-ils ?

❹ Quelles sont les intentions du Comte au début de la pièce ?

❺ Que veut obtenir Marceline de Figaro ?

❻ Qui est Chérubin ?

❼ À qui Chérubin dérobe-t-il un ruban et pour quelle raison ?

❽ Pour quel motif la Comtesse est-elle malheureuse ?

❾ Comment Chérubin réussit-il à quitter les appartements de la Comtesse ?

❿ À quel emploi le Comte veut-il occuper Figaro ? Pour quelles raisons ?

⓫ Qui est juge au procès opposant Marceline à Figaro ?

⓬ Quel coup de théâtre interrompt le procès ?

⓭ À quelle résolution amène-t-on Bartholo à la fin de l'acte III ?

⓮ Par quel subterfuge Chérubin est-il parvenu à demeurer au château ?

⓯ Où Suzanne donne-t-elle rendez-vous au Comte ?

⓰ Comment Figaro apprend-il qu'un rendez-vous entre Suzanne et le Comte a été fixé ?

⓱ Qui Chérubin embrasse-t-il ?

⓲ Qui se rend à la place de Suzanne au rendez-vous donné au Comte ?

⓳ Quels personnages sont dissimulés dans les pavillons ?

⓴ Qui fait finalement céder le Comte et quelle en est la raison ?

L'étude
de l'œuvre

Quelques notions de base

Quelques renseignements sur le genre dramatique*

Au théâtre, on représente l'action au lieu de la raconter. Les répliques sur scène construisent l'action dramatique. Cependant, il s'agit ici d'atteindre deux destinataires: lorsqu'un comédien parle sur scène, son énoncé s'adresse d'abord à un autre comédien (son premier destinataire). Mais cet énoncé doit rejoindre un deuxième récepteur, soit le spectateur assis dans la salle (son deuxième destinataire).

Pour donner accès à l'intériorité des personnages, le dramaturge a recours à un certain nombre de conventions en cours de dialogue. Ainsi, l'**aparté*** est un procédé très utilisé par Beaumarchais. Le personnage se fait à voix haute une réflexion rapide qui sert en fait à tenir le spectateur au courant de ses pensées secrètes à l'insu de son partenaire sur scène. L'aparté s'accompagne généralement d'un léger déplacement du personnage vers l'auditoire. La **tirade*** est une longue réplique qui se rapproche du monologue: elle traduit fréquemment un état de crise tout en permettant au comédien de se distinguer en attirant l'attention sur lui. Le **monologue*** est un énoncé plutôt long d'un personnage se parlant à lui-même sur scène à haute voix. Procédé plutôt invraisemblable, il illustre le fait que le théâtre est un art de conventions, soit un ensemble de moyens mis au service du dramaturge pour faire avancer l'action ou pour faire connaître au spectateur les dilemmes intérieurs de ses personnages. Enfin, les **stichomythies*** sont des répliques très courtes qui se succèdent rapidement et contribuent à l'accélération du dialogue.

La **ponctuation** est un moyen d'indiquer le changement dans l'expression des émotions. La variation dans la longueur ou la structure des phrases permet aussi de varier le rythme du discours,

*: *Cf.* Glossaire

d'apporter du mouvement au dialogue. Rappelons enfin que les **didascalies***, qui apparaissent en italique dans le texte, sont des indications scéniques qui permettent notamment au lecteur d'imaginer le jeu des comédiens sur scène, leur déplacement et leurs expressions, tout en fournissant souvent des indications relatives au décor. Pour se construire une vision de la production finale, le metteur en scène s'appuie d'ailleurs sur les informations fournies par l'auteur au moment de la composition de l'œuvre.

Selon le but que vise le dramaturge, la pièce de théâtre prendra des formes différentes: farce*, comédie*, tragicomédie*, tragédie* ou drame*. On y retrouvera en général les trois étapes de l'action dramatique décrites ci-après.

- L'exposition: les scènes qui présentent les personnages et l'intrigue. Elle doit être courte, complète et vraisemblable. C'est elle qui prépare les spectateurs aux principaux événements de l'intrigue.

- Le nœud de l'action: le point culminant du conflit (péripéties, coups de théâtre).

- Le dénouement: la résolution du conflit qui doit tenir compte logiquement des événements de l'intrigue.

De plus, au théâtre, il faut distinguer les notions suivantes.

- Le lieu de la fiction, tel qu'il est précisé dans le texte, qui est l'endroit où se situent les événements imaginés par le dramaturge, soit le château d'Aguas-Frescas, à trois lieues de Séville, dans le cas du *Mariage de Figaro*.

- L'espace scénique, qui comprend la scène, les coulisses et l'espace de la salle où se trouve l'auditoire. Bien que l'action se passe à Séville, différents endroits sont mentionnés, tels que la chambre des futurs mariés, la chambre de la Comtesse, la salle du trône, la salle de marronniers, lieux qui devront tour à tour être représentés sur scène.

Le tableau suivant présente dans la colonne de gauche une description des caractéristiques de la comédie et, du côté droit,

*: *Cf.* Glossaire

une description de celles du drame. L'étudiant trouvera avantage à se reporter à cette synthèse en cours d'analyse tout comme au tableau des caractéristiques de la littérature du Siècle des lumières* (p. 24).

*: Cf. Glossaire

Tableau descriptif :
La comédie et le drame

	La comédie (et la tonalité* comique)	Le drame
	Personnages	
Action	• Personnages principaux issus de la bourgeoisie, les jeunes étant souvent en opposition avec leurs parents. • Personnage du valet, conseiller du maître et souvent adjuvant ; ses traits stéréotypés sont la source du comique de la pièce. • Figurants illustrant la domesticité de la maison.	• Héros jeunes, souvent prisonniers d'un dualisme inscrit dans leur personnalité : en quête de sublime ou voulant se distinguer par leur héroïsme, ils sont acculés à la trahison ou à la bassesse. • Personnages secondaires nombreux et scènes de groupes fréquentes, ce qui contribue à la théâtralité (effet spectaculaire). • Les personnages féminins représentent généralement un idéal de pureté.
	Intrigue	
	• Conflit de couple, de générations ou de classes sociales (dans les relations maître/domestique). • Espace et temps dramatiques : habituellement une maison bourgeoise au XVIIe siècle ou au XVIIIe siècle.	• Contextes historiques, où l'action, située dans le passé, fournit des explications sur ce qui se passe en France à l'époque romantique. • Espace et temps fictifs : pour illustrer le goût du pittoresque, le cadre fictif sera souvent celui de pays étrangers ou d'une époque révolue.

* : *Cf.* Glossaire

Tableau descriptif :
La comédie et le drame (suite)

	La comédie (et la tonalité comique)	Le drame
Structure	• Plus la comédie est proche de la farce, plus la pièce tend à être courte. • Plus la comédie cherche à s'élever, plus elle imite la structure de la tragédie en cinq actes, de l'exposition au dénouement, qui devra forcément être heureux (résoudre le conflit, rétablir l'harmonie). • Les auteurs dramatiques prennent en général plus de liberté dans la comédie que dans la tragédie. • Au XVIIe siècle, il y a respect de la règle classique des trois unités et de la bienséance. • Au XVIIIe siècle, on prend plus de liberté avec la règle des trois unités.	• Pièce séparée en actes et en scènes, mais qui ne respecte plus la règle classique des trois unités. L'intrigue se charge d'anecdotes secondaires et on met en scène les suicides, les meurtres, les longues agonies (on ne se contente pas de les rapporter comme dans la tragédie). • Les didascalies laissent entrevoir des mises en scène fastueuses, loin de la sobriété et du statisme des tragédies classiques, avec bruits, musique, décor et accessoires. • Mélange de comique et de tragique.
Thématique	• La réalité quotidienne, la vie privée, en général. • Selon les thèmes privilégiés, on utilisera l'une ou l'autre des dénominations suivantes : • Comédie de caractère : intrigue fondée sur une opposition psychologique.	• Centrée davantage sur les émotions que sur les idées et la raison. • Quête de l'idéal et désir d'élévation ; malaise existentiel.

Tableau descriptif : La comédie et le drame (suite)

	La comédie (et la tonalité comique)	Le drame
Thématique (*suite*)	• Comédie de mœurs : intrigue fondée sur l'observation sociale (traits de mentalité). • Comédie sentimentale : intrigue fondée sur les relations amoureuses.	
Style et procédés d'écriture	• Composée en vers dans le cas de certaines grandes comédies de Molière* ; autrement, elle est en prose. • Comique de situation (ou d'intrigue) : déguisement, quiproquo* (confusion sur une personne, une chose) et imbroglio (intrigue multipliant les ramifications), coup de théâtre (retournement imprévu de la situation). • Comique de langage : procédés d'exagération (hyperboles), de contraste ou créant la surprise, humour (jeux de mots), ironie (mots contredisant la pensée, antiphrase), rythme dans les échanges (stichomythie, parallélisme, etc.). Mélange de niveaux de langue.	• Composé en vers ou en prose. • Accent mis sur le caractère émouvant de la présentation. • Effets de contraste marqués. • Goût pour les rapprochements antithétiques (procédés d'antithèse et d'oxymore). • Tonalités souvent pathétiques*, dénouements pessimistes.

*: Cf. Glossaire

Tableau descriptif:
La comédie et le drame (suite)

	La comédie (et la tonalité comique)	Le drame
Style et procédés d'écriture (*suite*)	• Automatismes de langage. **À noter :** Lors de la représentation, la gestuelle des comédiens (mécanisation du corps ; grimaces et mimiques grotesques ; bastonnades, etc.) contribue également au registre comique de la pièce (comique de geste ou farcesque).	

L'étude de la pièce
par acte
en s'appuyant
sur des extraits

Le Mariage de Figaro, la pièce

Étape préparatoire à l'analyse ou à la dissertation : compréhension du passage en tenant compte du contexte

❶ Résumez en moins de cinq phrases l'action de cette première scène.

❷ En tenant compte des fonctions habituelles d'une scène d'exposition énumérées ici, évaluez si cette scène joue bien ce rôle.

a) Elle présente les personnages principaux de la pièce.

b) Elle nous situe dans le temps et dans l'espace (à noter que les didascalies – en italique – font partie du texte).

c) Elle éclaire le spectateur sur des événements ayant déjà eu lieu et reliés à l'intrigue.

d) Elle fournit les informations nécessaires pour comprendre la suite de l'histoire.

e) Elle suscite l'intérêt du lecteur ou du spectateur.

❸ En vous appuyant sur cette scène, énumérez tous les conflits déjà prévisibles entre les personnages.

❹ Pourquoi Figaro passe-t-il subitement du tutoiement au vouvoiement en disant : « Qu'entendez-vous par ces paroles ? » (l. 31) ?

❺ En vous appuyant sur le comportement et les répliques de Figaro et de Suzanne dans cette scène, faites un portrait de chaque personnage.

❻ Comment les didascalies contribuent-elles en général à la signification de cette scène ?

❼ Analysez le rythme mouvementé de cette scène en répondant aux questions qui suivent.

   a) Comment Beaumarchais s'y prend-il pour accélérer le dialogue ?

   b) Comment Beaumarchais s'y prend-il pour traduire les émotions ?

   c) Comment le texte témoigne-t-il de la dimension corporelle du jeu des comédiens ?

❽ Quels sont les deux thèmes importants qui se dégagent de cette scène ?

❾ À partir de cette scène, que peut-on déduire des rapports entre maîtres et domestiques dans le contexte de l'Ancien Régime ?

.... **Vers la rédaction** ....

❿ Suivez les étapes proposées dans le but de rédiger une dissertation qui conviendrait au sujet qui suit : « Montrez que cette première scène du *Mariage de Figaro* remplit bien sa fonction de scène d'exposition. »

   a) Parmi les formulations suivantes, choisissez celle qui pourrait le mieux convenir au « sujet amené » de votre dissertation.

      a. La censure du régime monarchiste oblige les auteurs du Siècle des lumières à taire toute forme de revendication sociale.

      b. Le Siècle des lumières poursuit la tradition d'un théâtre de qualité dans la lignée du classicisme, notamment grâce à des écrivains de grand talent, parmi lesquels se trouve Beaumarchais.

      c. Le Siècle des lumières cherche un moyen de représenter sur scène l'homme du peuple dans une nouvelle catégorie de pièce, le drame bourgeois*.

      d. Bien que les philosophes aient souhaité l'avènement d'un nouveau genre au théâtre, le drame bourgeois, il semble bien que les meilleures pièces de cette époque soient toutes des comédies.

    *: Cf. Glossaire

    e. Le théâtre se fait l'écho au XVIIIe siècle des revendications des philosophes pour obtenir une plus grande justice sociale, l'abolition des privilèges reliés à la naissance et, en général, une plus grande liberté en tout.

b) Retenez les idées principales qui serviront à articuler le développement, tout en tenant compte du sujet. Les idées suivantes peuvent inspirer votre démarche.

    a. Par les didascalies, le spectateur est situé par rapport au temps et à l'espace, et peut même suivre les déplacements des comédiens sur la scène.

    b. Les sources de conflit sont connues.

    c. Le texte révèle bien la personnalité des protagonistes.

c) Rédigez l'introduction en utilisant vos réponses précédentes de façon pertinente et en complétant le tout pour qu'on y trouve les articulations suivantes, soit le « sujet amené », le « sujet posé » (accompagné d'une courte présentation de la pièce et de la situation de l'extrait) et le « sujet divisé ». Poursuivez avec le développement en vous appuyant notamment sur les réponses aux questions précédentes 1 à 9.

⓫ Deuxième sujet possible : « Analysez les sources du comique dans cette scène. »

Beaumarchais, *Le mariage de Figaro*, acte II, scènes 6, 7, 8 et 9

Extrait, pages 132 à 135, lignes 236 à 300

❶ Situez ces scènes dans la pièce, en expliquant les motifs de Chérubin à se trouver dans les appartements de la Comtesse.

❷ Quel est le personnage qui mène le jeu dans ces scènes ? Justifiez votre choix.

❸ Montrez que la scène 6 illustre d'une part l'espièglerie de Suzanne et, d'autre part, le caractère plutôt agréable de sa relation avec la Comtesse.

❹ Relevez tous les passages qui se rapportent à la beauté ambiguë, presque féminine de Chérubin.

❺ Montrez que le ruban sert ici d'indice à la Comtesse pour deviner les sentiments de Chérubin à son égard.

❻ Peut-on dire que ces scènes évoquent une ambiance amoureuse quelque peu immorale ? Tenez compte dans votre réponse des différences de mentalité entre le XVIIIe siècle et aujourd'hui.

❼ Ces scènes se situent-elles davantage du côté du drame que de la comédie ? Font-elles rire ou sourire ? Justifiez votre réponse.

❽ Comparez l'image de la Comtesse qui se dégage de ces scènes avec celle du Comte dans l'ensemble de la pièce.

.... **Vers la rédaction** ....

❾ Montrez que ces scènes illustrent certaines caractéristiques de la littérature des lumières.

Quelques idées directrices pour orienter votre réponse :

- l'esprit libertin ;
- la quête du bonheur ;
- une tendance vers l'égalitarisme homme / femme et maîtresse / domestique.

⑩ Analysez les différences dans les relations des domestiques à leur maître selon qu'il s'agit de Suzanne et de la Comtesse, ou de Figaro et du Comte. (À noter que cette question implique de déborder du cadre des scènes analysées.)

❶ Situez l'extrait :

   a) résumez, en moins de cinq phrases, l'action de la première à la quatrième scène de l'acte III ;

   b) résumez brièvement la scène 5 ;

   c) résumez ce que le spectateur apprend de nouveau dans la suite de l'acte.

❷ Pourquoi peut-on dire que Figaro est mieux préparé que le Comte à l'affrontement ?

❸ Analysez le comique de la première tirade en répondant aux questions qui suivent.

   a) En quoi cette tirade illustre-t-elle une vision réductrice sinon caricaturale des Anglais ?

   b) Quels traits du caractère de Figaro cette tirade révèle-t-elle ?

   c) Expliquez par quels moyens (mots, gestes, expressions, procédés stylistiques, etc.) Beaumarchais rend cette tirade comique.

❹ Relevez tous les reproches qu'adresse le Comte à Figaro.

❺ Que révèle le passage du vouvoiement au tutoiement chez le Comte (l. 82) ?

❻ Relevez les répliques de Figaro qui concernent :

   a) les inégalités maître / valet ;

   b) les inégalités mari / femme ;

   c) les agissements condamnables des seigneurs.

❼ En quoi la deuxième tirade de Figaro (l. 154) et les répliques qui la suivent immédiatement présentent-elles une forme de critique de la politique au XVIIIe siècle ?

❽ Quel rôle jouent les nombreux apartés contenus dans cette scène (indiqués par la didascalie *à part*) ?

❾ Dans cette scène, montrez que Figaro s'éloigne des traits stéréotypés généralement alloués au valet dans les comédies (notamment la soumission au maître, la complicité dans la réalisation de ses projets, la crédulité naïve).

❿ Malgré qu'elles soient absentes de la scène, démontrez que les femmes contribuent notoirement à donner un sens à ce qui s'y passe.

⓫ En tenant compte des éléments énumérés ci-après, prouvez que cette scène illustre particulièrement bien les talents de dialoguiste de Beaumarchais.

　　a) Variation dans les répliques (types de répliques, longueur, etc.).

　　b) Variation dans l'expression des émotions.

　　c) Façon dynamique de marquer l'opposition des caractères.

.... **Vers la rédaction** ....

⓬ Dans cet affrontement entre le comte Almaviva et Figaro, montrez que le valet en sort gagnant.

Dans la rédaction de vos paragraphes de développement, veuillez suivre les directives suivantes (ou celles plus particulières de votre enseignant).

　　a) Formulez en ouverture la phrase-clé qui présente l'idée principale du paragraphe.

　　b) Présentez deux ou trois idées secondaires.

　　c) Illustrez-les par des citations ou des exemples.

　　d) Terminez le paragraphe par une phrase de clôture ou une phrase de transition, au choix.

Vous pouvez vous inspirer des idées qui suivent.

- Le Comte veut s'appuyer sur son autorité pour réprimander Figaro, mais ce dernier semble avoir réponse à tout.

- Le dialogue montre que Figaro est prêt à remettre en question les prérogatives du Comte (avantages et privilèges reliés, par exemple, au statut social).

- Figaro caricature même l'exercice de la politique ou de la diplomatie par la noblesse*.

- Figaro dénonce les comportements injustes de ceux qui jouissent d'un statut social élevé.

- Figaro ridiculise la noblesse (et son rôle politique et social).

- Figaro se permet de se mesurer à un aristocrate.

- Beaumarchais, par son valet Figaro, prône les idées des philosophes du XVIIIe siècle.

- La valeur d'un homme ne dépend pas de son statut social.

Prévoyez faire la révision en étapes successives :

a) une première révision qui concerne le sens ;

b) une deuxième révision d'ordre orthographique et grammatical ;

c) une dernière révision qui part de la fin du texte pour remonter vers le début.

⓭ Analysez l'importance capitale de cette scène dans le déroulement de l'intrigue.

* : *Cf.* Glossaire

Lectures croisées

Questionnaire sur le texte de Beaumarchais

❶ Situez cette scène dans l'intrigue et résumez-la en deux ou trois phrases.

❷ Relevez dans le texte tout ce qui sert à indiquer la surprise.

❸ Selon quels arguments peut-on affirmer que cette scène tourne au plaidoyer féministe ?

❹ Comment les hommes réagissent-ils aux propos de Marceline ?

❺ Relevez une antithèse, une hyperbole et un parallélisme dans le discours de Marceline.

❻ Montrez que la scène, en passant du comique au pathétique, illustre un des nombreux changements de tonalité* dans la pièce.

❼ En bout de ligne, à qui profite ce coup de théâtre ?

❽ En tenant compte des idées énumérées ci-dessous, montrez en un paragraphe bien articulé que cette scène jouera en faveur du mariage de Figaro avec Suzanne.

- Il y a un obstacle de moins à franchir : d'opposante au projet de mariage de Figaro, Marceline devient une alliée.

- Antonio, l'oncle de Suzanne, refuse de donner sa nièce à Figaro si ses parents ne se marient pas.

- Marceline, qui tient ici des propos féministes, devrait, par solidarité féminine, favoriser les projets de Suzanne.

- Le principal stratagème du Comte ne tient plus ; un autre obstacle est levé par rapport à l'union des deux domestiques.

- Le Comte a perdu ses alliés naturels, Bartholo et Marceline, qui ne peuvent que se ranger du côté de Figaro.

* : *Cf. Glossaire*

9 Avec cette scène, peut-on dire que la pièce bascule dans le drame plutôt que dans la comédie ? Expliquez.

.... **Vers la rédaction** ....

À partir de cette scène, faites le plan et rédigez la conclusion de l'un des deux sujets suivants :

10 « Montrez que Beaumarchais dénonce la condition des femmes à cette époque. »

11 « Expliquez en quoi cette scène illustre l'esprit des lumières. »

Simone de Beauvoir, *Le deuxième sexe*

Philosophe et auteure associée à l'existentialisme, Simone de Beauvoir (1908-1986) publie en 1949 *Le deuxième sexe*, un essai qui fait date par rapport au féminisme, qui se définit comme la lutte des femmes pour l'égalité des droits avec les hommes. Dans son ouvrage qui s'attache à décrire la condition féminine, l'auteure énumère un certain nombre d'arguments en faveur de sa thèse, notamment que la femme n'est pas naturellement inférieure à l'homme, mais qu'elle le devient parce que la société ne lui donne pas les moyens de se réaliser. Les femmes doivent engager la lutte pour sortir de leur aliénation (qui consiste à se définir uniquement en fonction des attentes masculines) ; elles doivent s'épanouir pleinement comme individu.

« La femme se perd. Où sont les femmes ? les femmes d'aujourd'hui ne sont pas des femmes » ; on a vu quel était le sens de ces mystérieux slogans. Aux yeux des hommes – et de la légion de femmes qui voient par ces yeux – il ne suffit pas d'avoir un corps de femme ni d'assumer comme amante, comme
5 mère, la fonction de femelle pour être une « vraie femme » ; à travers la sexualité et la maternité, le sujet peut revendiquer son autonomie ; la « vraie femme » est celle qui s'accepte comme Autre. Il y a dans l'attitude des hommes d'aujourd'hui une duplicité[1] qui crée chez la femme un déchirement douloureux ; ils acceptent dans une assez grande mesure que la femme
10 soit une semblable, une égale ; et cependant ils continuent à exiger qu'elle

---

1. duplicité : mauvaise foi.

demeure l'inessentiel ; pour elle, ces deux destins ne sont pas conciliables ; elle hésite entre l'un et l'autre sans être exactement adaptée à aucun et c'est de là que vient son manque d'équilibre. Chez l'homme, il n'y a entre vie publique et vie privée aucun hiatus[2] : plus il affirme dans l'action et le travail

15 sa prise sur le monde, plus il apparaît comme viril ; en lui valeurs humaines et valeurs vitales sont confondues ; au lieu que les réussites autonomes de la femme sont en contradiction avec sa féminité puisqu'on demande à la « vraie femme » de se faire objet, d'être l'Autre. Il est très possible que sur ce point la sensibilité, la sexualité même des hommes se modifie. Une nouvelle

20 esthétique est déjà née. Si la mode des poitrines plates et des hanches maigres – de la femme-éphèbe[3] – n'a eu qu'un temps, on n'en est cependant pas revenu à l'opulent[4] idéal des siècles passés. On demande au corps féminin d'être chair, mais discrètement ; musclé, souple, robuste, il faut qu'il indique la transcendance[5] ; on le préfère non pas blanc comme une plante

25 de serre mais ayant affronté le soleil universel, hâlé comme un torse de travailleur. En devenant pratique, le costume de la femme ne l'a pas fait apparaître comme asexuée : au contraire, les jupes courtes ont mis en valeur beaucoup plus que naguère jambes et cuisses. On ne voit pas pourquoi le travail la priverait de son attrait érotique. Saisir à la fois la femme comme un

30 personnage social et comme une proie charnelle peut être troublant : dans une série de dessins de Peynet parus récemment, on voyait un jeune fiancé délaisser sa promise parce qu'il était séduit par la jolie mairesse qui se disposait à célébrer le mariage ; qu'une femme exerce un « office viril » et soit en même temps désirable, ç'a été longtemps un thème de plaisanteries plus

35 ou moins graveleuses ; peu à peu le scandale et l'ironie se sont émoussés et il semble qu'une nouvelle forme d'érotisme soit en train de naître : peut-être engendrera-t-elle de nouveaux mythes.

Ce qui est certain, c'est qu'aujourd'hui il est très difficile aux femmes d'assumer à la fois leur condition d'individu autonome et leur destin

40 féminin ; c'est là la source de ces maladresses, de ces malaises qui les font parfois considérer comme « un sexe perdu ». Et sans doute il est plus confortable de subir un aveugle esclavage que de travailler à s'affranchir : les morts aussi sont mieux adaptés à la terre que les vivants. De toute façon un retour au passé n'est pas plus possible que souhaitable. Ce qu'il faut espérer, c'est

45 que de leur côté les hommes assument sans réserve la situation qui est en train de se créer ; alors seulement la femme pourra la vivre sans déchirement.

---

2. hiatus : interruption. **3. éphèbe :** jeune homme. **4. opulent :** aux formes charnelles développées. **5. transcendance :** excellence, supériorité.

Extrait, pages 189 à 191

Alors pourra être exaucé le vœu de Laforgue : «Ô jeunes filles, quand serez-vous nos frères, nos frères intimes sans arrière-pensée d'exploitation ? quand nous donnerons-nous la vraie poignée de main ?» Alors «Mélusine non plus
50 sous le poids de la fatalité déchaînée sur elle par l'homme seul, Mélusine délivrée...» retrouvera «son assiette humaine[6]». Alors elle sera pleinement un être humain, «quand sera brisé l'infini servage de la femme, quand elle vivra pour elle et par elle, l'homme – jusqu'ici abominable – lui ayant donné son renvoi[7]».

Simone de Beauvoir, Le Deuxième Sexe, troisième partie, chapitre III, Gallimard, 1949.

Questionnaire sur le texte de S. de Beauvoir, Le deuxième sexe

❶ Expliquez pourquoi, traditionnellement, l'autonomie ne semble pas un droit qu'il convient d'accorder aux femmes.

❷ En ce qui concerne la condition des femmes, Simone de Beauvoir perçoit des signes de changement dans les mentalités. Quels sont ces signes ?

❸ Quels sont les vœux de l'auteure par rapport à l'avenir ?

❹ Les observations faites par Simone de Beauvoir vous semblent-elles de même nature que celles que Beaumarchais place dans la bouche de Marceline, son personnage du <i>Mariage de Figaro</i> ?

Annie Ernaux, *La femme gelée*

Professeure de lettres et romancière, Annie Ernaux publie *La femme gelée* en 1981 alors que le mouvement féministe fait de sérieuses avancées partout dans le monde grâce, notamment, aux revendications des mouvements féministes. En France, rappelons toutefois que ce n'est qu'en 1945 que les femmes ont obtenu le droit de vote (après le Québec, en 1940). Dans ce récit nettement inspiré de sa vie, l'auteure dresse le portrait d'une jeune femme mariée dont la vie

6. Breton, *Arcane 17*. (Note de l'auteure.) 7. Rimbaud, *Lettre à P. Demeny*, 15 mai 1872. (Note de l'auteure.)

n'est qu'insignifiance. Autrefois spirituelle et indépendante, la narratrice se trouve du jour au lendemain reléguée au foyer, mettant de côté ses ambitions personnelles pour se plier à un idéal d'épouse qui doit correspondre aux standards de la femme traditionnelle.

Un mois, trois mois que nous sommes mariés, nous retournons à la fac, je donne des cours de latin. Le soir descend plus tôt, on travaille ensemble dans la grande salle. Comme nous sommes sérieux et fragiles, l'image attendrissante du jeune couple moderno-intellectuel. Qui pourrait encore m'attendrir
5   si je me laissais faire, si je ne voulais pas chercher comment on s'enlise, doucettement. En y consentant lâchement. D'accord je travaille La Bruyère ou Verlaine dans la même pièce que lui, à deux mètres l'un de l'autre. La cocotte-minute, cadeau de mariage si utile vous verrez, chantonne sur le gaz. Unis, pareils. Sonnerie stridente du compte-minutes, autre cadeau. Finie la
10 ressemblance. L'un des deux se lève, arrête la flamme sous la cocotte, attend que la toupie folle ralentisse, ouvre la cocotte, passe le potage et revient à ses bouquins en se demandant où il en était resté. Moi. Elle avait démarré, la différence.

Par la dînette. Le restau universitaire fermait l'été. Midi et soir, je suis seule
15 devant les casseroles. Je ne savais pas plus que lui préparer un repas, juste les escalopes panées, la mousse au chocolat, de l'extra, pas du courant. Aucun passé d'aide-culinaire dans les jupes de maman ni l'un ni l'autre. Pourquoi de nous deux suis-je la seule à devoir tâtonner, combien de temps un poulet, est-ce qu'on enlève les pépins des concombres, la seule à me plonger dans
20 un livre de cuisine, à éplucher des carottes, laver la vaisselle en récompense du dîner, pendant qu'il bossera son droit constitutionnel. Au nom de quelle supériorité. Je revoyais mon père dans la cuisine. Il se marre, « non mais tu m'imagines avec un tablier peut-être ! Le genre de ton père, pas le mien ! » Je suis humiliée. Mes parents, l'aberration, le couple bouffon. Non je n'en ai
25 pas vu beaucoup d'hommes peler des patates. Mon modèle à moi n'est pas le bon, il me le fait sentir. Le sien commence à monter à l'horizon, monsieur père laisse son épouse s'occuper de tout dans la maison, lui si disert, cultivé, en train de balayer, ça serait cocasse, délirant, un point c'est tout. À toi d'apprendre ma vieille. Des moments d'angoisse et de découragement
30 devant le buffet jaune canari du meublé, des œufs, des pâtes, des endives, toute la bouffe est là, qu'il faut manipuler, cuire. Fini la nourriture-décor de mon enfance, les boîtes de conserve en quinconce, les bocaux multicolores,

la nourriture surprise des petits restaurants chinois bon marché du temps
d'avant. Maintenant c'est la nourriture corvée.

35 Je n'ai pas regimbé[1], hurlé ou annoncé froidement aujourd'hui c'est ton
tour, je travaille La Bruyère. Seulement des allusions, des remarques acides,
l'écume d'un ressentiment mal éclairci. Et plus rien, je ne veux pas être une
emmerdeuse, est-ce que c'est vraiment important, tout faire capoter, le rire,
l'entente, pour des histoires de patates à éplucher, ces bagatelles relèvent-
40 elles du problème de la liberté, je me suis mise à en douter. Pire, j'ai pensé
que j'étais plus malhabile qu'une autre, une flemmarde en plus, qui regret-
tait le temps où elle se fourrait les pieds sous la table, une intellectuelle
paumée incapable de casser un œuf proprement. Il fallait changer.

Annie Ernaux, *La femme gelée*, Gallimard, 1981.

Questionnaire sur le texte d'Annie Ernaux, *La femme gelée*

❶ Comment la narratrice s'y prend-elle pour mettre en lumière les
étapes qui mènent à l'inégalité entre l'homme et la femme rela-
tivement aux tâches du quotidien ?

❷ Relevez les phrases qui montrent que le modèle du mari et celui
de la femme diffèrent grandement.

❸ Montrez que c'est la culpabilité de la femme qui finit par avoir
raison de ses revendications.

.... **Vers la rédaction – Analyse croisée** ....

❶ Montrez que Beaumarchais apparaît comme un précurseur sur
la voie des revendications féminines, telles que formulées par
Simone de Beauvoir et Annie Ernaux.

---

1. **regimbé :** refusé.

Beaumarchais, Le mariage de Figaro, acte V, scène 3

Dernier extrait, pages 226 à 230, lignes 57 à 160

Questionnaire sur le texte de Beaumarchais

❶ Situez l'extrait à l'aide des questions qui suivent.

   a) Dans l'action antérieure à cette scène, résumez ce qui pousse Figaro à tenir ces propos désillusionnés.

   b) Dressez le plan du monologue de Figaro.

   c) Dégagez ce que ce monologue apporte de nouveau à l'intrigue et résumez ce que le spectateur apprend dans la suite de l'acte.

❷ « Ô femme ! Femme ! Femme ! Créature faible et décevante ! » (l. 57). Expliquez pourquoi cette déception, qui s'exprime à l'encontre des femmes, peut étonner à ce moment-ci de la pièce.

❸ Figaro fait en quelque sorte l'éloge de l'homme ordinaire, l'homme du peuple, en l'opposant au noble. Dégagez les principaux aspects de cette opposition.

❹ Expliquez la signification des phrases suivantes :

   a) « Vous vous êtes donné la peine de naître, et rien de plus » (l. 66 et 67).

   b) « que, sans la liberté de blâmer, il n'est point d'éloge flatteur ; et qu'il n'y a que les petits hommes qui redoutent les petits écrits » (l. 102 à 104).

   c) « et que, pourvu que je ne parle en mes écrits ni de l'autorité, ni du culte, ni de la politique, ni de la morale, ni des gens en place, […] ni de personne qui tienne à quelque chose, je puis tout imprimer librement » (l. 111 à 115).

   d) « je vais rasant de ville en ville, et je vis enfin sans souci » (l. 134 et 135).

e) « j'ai tout vu, tout fait, tout usé. Puis l'illusion s'est détruite et, trop désabusé… Désabusé !… » (l. 155 à 157).

❺ Montrez que cette scène est unique dans la pièce et qu'elle marque une rupture importante, en commentant ou en développant (en phrases complètes) les aspects suivants :

a) la forme en est différente ;

b) Figaro révèle une nouvelle facette de sa personnalité ;

c) le ton de la comédie cède la place à la gravité ;

d) jusqu'à maintenant tourné vers l'action, le personnage de Figaro tend à s'intérioriser ;

e) on observe un changement dans la relation avec Suzanne.

❻ En se rapprochant du dénouement, Figaro semble de plus en plus emprunter des traits à Beaumarchais. En vous reportant à la biographie de l'auteur, dressez la liste de ces emprunts.

❼ Avec un si long monologue, il n'est pas évident de retenir l'attention du spectateur. En vous appuyant sur les figures de style, sur la ponctuation, sur la variation syntaxique, expliquez, dans un ou deux paragraphes bien articulés avec exemples à l'appui, comment est employé ici tout l'art de Beaumarchais.

❽ Peut-on penser qu'un des facteurs du succès de la pièce serait l'identification du spectateur à Figaro, (en particulier celui du XVIIIe siècle) ?

❾ Peut-on dire que ce monologue est un réquisitoire amer et ironique contre la société du XVIIIe siècle ?

.... **Vers la rédaction** ....

❿ Dressez le portrait de Figaro en montrant qu'il n'est plus réductible au rôle de simple valet et qu'il gagne, avec cette scène, en complexité, en humanité.

Pour élaborer le développement, vous pouvez tenir compte des aspects qui suivent.

• Comparez Figaro, devenu complexe dans cette scène, avec les « valets » de Molière.

- Montrez qu'habituellement c'est le maître qui monologue sur scène alors qu'ici, c'est Figaro qui captive toute l'assistance.

- Traditionnellement, le valet n'était pas censé exprimer son état d'âme et sa révolte contre la société.

- Rival du Comte, Figaro en est même jaloux, ce qui était inconcevable au XVIIe siècle, car cette situation pouvait manquer à la bienséance.

- Analysez toute la gamme des émotions présentes dans le monologue : jalousie, désillusion, espoir, etc.

- Analysez comment s'exprime une forme de ressentiment contre la société.

- Figaro n'est plus le serviteur des amoureux, c'est lui l'amoureux et il ne protège plus le mariage du Comte mais bien le sien.

- Même s'il est gai, Figaro n'en est pas moins capable de morale ; il revendique ce que la philosophie des lumières réclame : la liberté, l'égalité et la justice sociale.

- Figaro n'hésite pas à demander que l'intelligence et les efforts soient récompensés.

⓫ Peut-on dire que ce monologue est un réquisitoire pour défendre toutes les libertés (de penser, de parler et d'écrire, de séduire) ?

⓬ Analysez le caractère autobiographique du texte.

Pierre Corneille, *Le Cid*

Corneille (1606-1684) est un dramaturge qui connaît, après quelques comédies, la célébrité en 1637 avec une tragicomédie, *Le Cid*, qui fait scandale pour des questions de vraisemblance. Rodrigue et Chimène sont les enfants de deux grands d'Espagne et sont promis l'un à l'autre ; leur union s'annonce sous les meilleurs auspices, mais le père de Chimène outrage celui de Rodrigue. Ce dernier se trouve confronté à un douloureux dilemme : venger ou non son père, en risquant de perdre l'amour et l'estime de Chimène.

DON RODRIGUE

Percé jusques au fond du cœur
D'une atteinte imprévue aussi bien que mortelle,
Misérable[1] vengeur d'une juste querelle,
5   Et malheureux objet d'une injuste rigueur,
Je demeure immobile, et mon âme abattue
Cède au coup qui me tue.
   Si près de voir mon feu[2] récompensé,
Ô Dieu, l'étrange peine !
10   En cet affront mon père est l'offensé !
Et l'offenseur le père de Chimène !

   Que je sens de rudes combats !
Contre mon propre honneur mon amour s'intéresse[3].
Il faut venger un père, et perdre une maîtresse :
15   L'un m'anime le cœur, l'autre retient mon bras.
Réduit au triste choix ou de trahir ma flamme,
   Ou de vivre en infâme,
   Des deux côtés mon mal est infini.
   Ô Dieu, l'étrange peine !
20   Faut-il laisser un affront impuni ?
Faut-il punir le père de Chimène ?

   Père, maîtresse, honneur, amour,
Noble et dure contrainte, aimable tyrannie,
Tous mes plaisirs sont morts, ou ma gloire ternie.
25   L'un me rend malheureux, l'autre indigne du jour.
Cher et cruel espoir[4] d'une âme généreuse[5],
   Mais ensemble[6] amoureuse,
Digne ennemi de mon plus grand bonheur,
   Fer qui causes ma peine,

---

1. Misérable : digne de pitié. **2. feu** : amour. **3. s'intéresse** : prend parti. **4. espoir** : jusqu'à la fin de la strophe, Rodrigue s'adresse à son épée, son « fer ». **5. généreuse** : bien née. **6. ensemble** : en même temps.

30   M'es-tu donné pour venger mon honneur ?
      M'es-tu donné pour perdre ma Chimène ?
          Il vaut mieux courir au trépas[7].
      Je dois à ma maîtresse aussi bien qu'à mon père :
      J'attire en me vengeant sa haine et sa colère ;
35   J'attire ses mépris en ne me vengeant pas.
      À mon plus doux espoir l'un me rend infidèle,
          Et l'autre indigne d'elle.
          Mon mal augmente à le vouloir guérir[8] ;
          Tout redouble ma peine.
40   Allons mon âme ; et puisqu'il faut mourir,
      Mourons du moins sans offenser Chimène.

      Mourir sans tirer ma raison[9] !
      Rechercher un trépas si mortel à ma gloire !
      Endurer que l'Espagne impute à ma mémoire
45   D'avoir mal soutenu l'honneur de ma maison !
      Respecter un amour dont mon âme égarée
          Voit la peine assurée !
          N'écoutons plus ce penser[10] suborneur[11],
          Qui ne sert qu'à ma peine.
50   Allons, mon bras, sauvons du moins l'honneur,
      Puisqu'après tout il faut perdre Chimène.

      Oui, mon esprit s'était déçu[12].
      Je dois tout à mon père avant qu'à ma maîtresse :
      Que je meure au combat, ou meure de tristesse,
55   Je rendrai mon sang pur comme je l'ai reçu.
      Je m'accuse déjà de trop de négligence :
          Courons à la vengeance ;
          Et tout honteux d'avoir tant balancé[13],
          Ne soyons plus en peine,
60   Puisqu'aujourd'hui mon père est l'offensé,
      Si[14] l'offenseur est père de Chimène.

Pierre Corneille, *Le Cid*, acte I, scène 6, 1637.

---

7. au trépas : à la mort. **8. à le vouloir guérir** : à vouloir le guérir. **9. sans tirer ma raison** : sans obtenir réparation. **10. ce penser** : cette pensée. **11. suborneur** : qui tente de corrompre. **12. déçu** : trompé. **13. balancé** : hésité. **14. Si** : même si.

Questionnaire sur le texte de Corneille, Le Cid

❶ Faites le plan du monologue de Rodrigue en formulant l'idée principale exprimée dans chacune des parties du texte.

❷ À partir de ce monologue, décrivez le dilemme psychologique de Rodrigue et les émotions qui lui sont reliées.

❸ Pourquoi Corneille emploie-t-il des vers de longueurs différentes ?

Eugène Ionesco, *Rhinocéros*

Eugène Ionesco (1912-1994) s'inscrit dans cette tendance qu'on appelle le théâtre de l'absurde, qui représente la vision d'un monde en déconstruction, dans lequel des personnages, privés d'identité, sont interchangeables et où le langage ne permet plus de communiquer. Dans le cas de la pièce *Rhinocéros*, Bérenger, le héros, voit les êtres humains se transformer inexplicablement, les uns après les autres, en rhinocéros. Se sentant de plus en plus isolé, il s'accroche à l'illusion de l'amour et du bonheur que représenterait le personnage de Daisy. Mais cette dernière se laisse séduire par ces étranges animaux. Cette transformation illustre ce qui arrive aux gens qui se laissent séduire par les régimes totalitaires : ils sont graduellement privés de leur humanité. Seul, Bérenger résiste à cette attirance, prenant ainsi figure d'homme libre. L'extrait présente ici le monologue final de la pièce.

> BÉRENGER, *se regardant toujours dans la glace.* [...] C'est moi, c'est moi ! *(Lorsqu'il accroche les tableaux, on s'aperçoit que ceux-ci représentent un vieillard, une grosse femme, un autre homme. La laideur de ces portraits contraste avec les têtes des rhinocéros qui sont devenues très belles.*
> 5 *Bérenger s'écarte pour contempler les tableaux.)* Je ne suis pas beau, je ne suis pas beau. *(Il décroche les tableaux, les jette par terre avec fureur, il va vers la glace.)* Ce sont eux qui sont beaux. J'ai eu tort ! Oh ! comme je voudrais être comme eux. Je n'ai pas de corne, hélas ! Que c'est laid, un front plat. Il m'en faudrait une ou deux, pour rehausser mes traits tombants.

10 Ça viendra peut-être et je n'aurai plus honte, je pourrai aller tous les retrouver. Mais ça ne pousse pas ! *(Il regarde les paumes de ses mains.)* Mes mains sont moites. Deviendront-elles rugueuses ? *(Il enlève son veston, défait sa chemise, contemple sa poitrine dans la glace.)* J'ai la peau flasque. Ah, ce corps trop blanc, et poilu ! Comme je voudrais avoir une peau dure

15 et cette magnifique couleur d'un vert sombre, une nudité décente, sans poils, comme la leur ! *(Il écoute les barrissements.)* Leurs chants ont du charme, un peu âpre, mais un charme certain ! Si je pouvais faire comme eux. *(Il essaye de les imiter.)* Ahh, ahh, brr ! Non, ce n'est pas ça ! Essayons encore, plus fort ! Ahh, ahh, brr ! non, non, ce n'est pas ça, que c'est faible,

20 comme cela manque de vigueur ! Je n'arrive pas à barrir. Je hurle seulement. Ahh, ahh, brr ! Les hurlements ne sont pas des barrissements ! Comme j'ai mauvaise conscience, j'aurais dû les suivre à temps. Trop tard maintenant ! Hélas, je suis un monstre, je suis un monstre. Hélas, jamais je ne deviendrai rhinocéros, jamais, jamais ! Je ne peux plus changer. Je

25 voudrais bien, je voudrais tellement, mais je ne peux pas. Je ne peux plus me voir. J'ai trop honte ! *(Il tourne le dos à la glace.)* Comme je suis laid ! Malheur à celui qui veut conserver son originalité ! *(Il a un brusque sursaut.)* Eh bien tant pis ! Je me défendrai contre tout le monde ! Ma carabine, ma carabine ! *(Il se retourne face au mur du fond où sont fixées*

30 *les têtes des rhinocéros, tout en criant :)* Contre tout le monde, je me défendrai ! Je suis le dernier homme, je le resterai jusqu'au bout ! Je ne capitule pas !

Eugène Ionesco, Rhinocéros, Gallimard, 1959.

Questionnaire sur le texte de Ionesco, Rhinocéros

❶ Établissez le plan de ce monologue en donnant un titre à chacune de ses parties.

❷ Expliquez l'utilité des didascalies dans cette scène.

❸ Quel portrait Béranger fait-il de lui-même et dans quel but ?

❹ Quelle est la tonalité générale de ce monologue ?

Vers la rédaction – Analyse croisée

❶ En vous appuyant sur les trois extraits présentés, analysez dans quelle mesure le monologue renseigne sur la psychologie de chacun des personnages.

L'étude de l'œuvre dans une démarche plus globale

La démarche proposée ici peut précéder ou suivre l'analyse par extrait. Elle apporte une connaissance plus synthétique de l'œuvre; elle met l'accent sur la compréhension du récit dans son entier. Les deux démarches peuvent être indépendantes ou complémentaires.

Pour chacun des cinq actes de la pièce, adoptez la démarche suivante, qui tient compte des composantes du texte dramatique, soit:

a) l'intrigue;

b) les personnages;

c) la thématique;

d) l'organisation, le style et la tonalité de la pièce de théâtre.

Intrigue

❶ Faites le résumé de chaque acte de la pièce à l'aide des questions suivantes.

a) **Qui?** Quels sont les personnages présents?

b) **Quoi?** Qu'apprend-on sur eux? Que font-ils? Quel est l'état de leurs relations?

c) **Quand? Et où?** Quelle est la situation exposée et dans quel contexte?

d) **Comment?** Quelles relations s'établissent entre les personnages?

e) **Pourquoi?** Quel est l'objet de leur quête? Quels moyens prennent-ils pour atteindre leur but?

Personnages

Les personnages principaux

❶ Au fil de la pièce, comment évoluent les personnages principaux : le Comte et Figaro ? Quel portrait peut-on faire d'eux ?

a) Rédigez la description de Figaro et celle du Comte, en prenant en considération les aspects suivants :

    a. l'aspect physique ;

    b. l'aspect psychologique ;

    c. les valeurs associées à leur situation sociale ;

    d. leurs devoirs.

b) Observez leur comportement dans chaque acte et tenez compte aussi des réponses aux questions qui suivent.

    a. Que pense chacun d'eux ?

    b. Que disent-ils ?

    c. Que font-ils ?

    d. Comment évoluent-ils d'un acte à l'autre ?

Les personnages secondaires

❶ Au fil de la pièce, quel rôle Beaumarchais attribue-t-il à chacun de ses nombreux personnages secondaires, parmi lesquels la Comtesse, Suzanne, Marceline, Antonio, Fanchette, Chérubin, Bartholo, Bazile, Don Gusman, Brid'oison, Double-Main, l'huissier-audiencier, Gripe-Soleil, la jeune bergère, Pédrille ?

❷ Quelles sont leurs relations avec les personnages principaux ?

❸ Quel(s) effet(s) suscite chaque personnage de la pièce sur le lecteur ? Tenez compte des possibilités suivantes et justifiez votre réponse.

- **La Comtesse :** le lecteur souffre avec la comtesse qui est délaissée par son mari ; pourtant, c'est une femme attirante qui plaît encore, puisque le jeune Chérubin, son filleul, est attiré par elle. C'est elle qui sauvera leur vie de couple.

- **Suzanne :** le lecteur apprécie la gaieté et l'espièglerie de la confidente et de la femme de chambre de la Comtesse. C'est elle qui met en évidence le ridicule de certains personnages. Elle a des valeurs morales bien solides.

- **Marceline :** le lecteur se moque, au début de la pièce, de cette femme âgée qui rivalise avec la jeunesse de Suzanne pour épouser Figaro. Cependant, c'est une femme courageuse qui n'hésite pas à montrer la tyrannie que subissent les femmes à cette époque.

- **Bartholo :** ce personnage n'est pas vraiment apprécié du lecteur, car il est content des malheurs de la Comtesse, délaissée par son mari. Il cherche à aider Marceline et non Suzanne à épouser Figaro.

- **Bazile :** lui non plus n'est pas vraiment apprécié du lecteur, car c'est un homme méchant qui aide le Comte dans ses manigances libertines.

- **Chérubin :** c'est un adolescent charmant et séduisant ; le lecteur tombe sous son charme. Même la Comtesse tombe, elle aussi, sous son charme, surtout quand elle découvre son ruban au bras de Chérubin.

- **Fanchette :** le lecteur apprécie sa naïveté et son innocence. Elle cherche à sauver Chérubin en s'offrant au Comte.

Thématique

❶ Parmi les réseaux thématiques ou les thèmes suivants, dégagez ceux qui semblent prédominer dans chaque acte. Justifiez vos choix.

- L'amour et le désir.
- La condition sociale (des valets, des maîtres et des femmes).
- Le libertinage* (la séduction).
- La censure.

* : *Cf.* Glossaire

- La justice.
- Le théâtre et le jeu (qui deviennent des thèmes par le procédé de mise en abyme).

Organisation de la pièce, style et tonalité

❶ Montrez que toutes les actions secondaires font obstacle à l'action principale, la réalisation du mariage de Figaro avec Suzanne.

❷ Montrez que *Le mariage de Figaro* présente une grande variation de tonalités et que c'est même une de ses caractéristiques principales.

❸ En vous reportant aux tableaux sur le drame et la comédie (p. 263 à 266), montrez que *Le mariage de Figaro* est bien une comédie, mais qui porte cependant la marque d'un nouveau genre, le drame.

❹ Décrivez les moyens utilisés par Beaumarchais pour insuffler du mouvement à sa pièce.

sujets d'analyse et de dissertation

Plusieurs pistes d'analyse portant sur l'œuvre complète sont maintenant accessibles, certaines plus faciles à emprunter que d'autres. Pour favoriser votre progression vers le plan, les premiers sujets ont été partiellement planifiés ; en revanche, les derniers sujets laissent toute la place à l'initiative personnelle.

❶ Par son insoumission, Figaro apparaît comme un personnage pouvant menacer l'ordre établi. Démontrez-le.

Esquisse de plan pour le développement.

.... **Introduction** ....

Sujet amené : puisez une idée dans la biographie de Beaumarchais ou dans la description de l'époque.

Sujet posé : reformulez le sujet en vous assurant de ne pas le trahir.

Sujet divisé : prévoyez un court résumé et annoncez les idées directrices des trois paragraphes du développement.

.... **Développement** ....

- Dans le premier paragraphe, décrivez l'ordre établi de l'Ancien Régime.

- Dans le deuxième paragraphe, montrez l'insoumission de Figaro par rapport à l'ordre établi.

- Dans le troisième paragraphe, montrez comment, par son comportement, Figaro menace cet ordre établi (il dénonce la corruption de la justice, l'arbitraire, la censure, etc.).

.... **Conclusion** ....

- Synthèse des grandes articulations du développement en se gardant bien de ne pas simplement répéter les idées directrices ; essayez de les reformuler pour maintenir l'intérêt du lecteur.

- Idée d'ouverture : établissez des liens avec l'époque, la biographie de l'auteur ou d'autres œuvres.

❷ **En quoi le personnage de Figaro diffère-t-il du valet présenté dans les comédies de Molière ?**

Voici quelques aspects à prendre en considération dans la rédaction de votre dissertation.

- À partir des différentes scènes, relevez les ressemblances de Figaro avec les valets traditionnels de Molière (Sganarelle ou Scapin).
- Notez ensuite les scènes où on le voit sous un jour différent.
- Relevez les obstacles qu'il a rencontrés dans sa vie.
- Montrez comment il a su les vaincre.
- Relevez ses questions profondes sur la destinée humaine et sur son identité.
- Faites le lien entre les idées de Figaro et celles des philosophes des lumières au XVIIIᵉ siècle.

❸ **Dans la pièce *Le mariage de Figaro*, montrez comment Beaumarchais semble dénoncer avec hardiesse la morale, l'ingratitude et la bassesse générale des nobles.**

❹ **La pièce est un duel entre le maître et son valet, entre Almaviva et Figaro. Analysez le jeu des alliances auquel se livrent ces opposants avec les autres personnages.**

❺ **Montrez comment Suzanne partage avec la Comtesse et Marceline une solidarité qui tend à contrer la tyrannie masculine incarnée par le Comte.**

❻ **Montrez comment, avec Suzanne, Beaumarchais propose une figure originale, alliant liberté et droiture.**

❼ **Figaro agit sous l'emprise de l'amour alors que le Comte, se prévalant de son autorité, se laisse mener par son inclination au libertinage. Développez cette idée.**

❽ Dans la pièce *Le mariage de Figaro*, les femmes ne se contentent pas de déplorer les inégalités qui existent entre elles et les hommes, elles prennent aussi leur revanche contre eux. Démontrez-le.

❾ Montrez comment Beaumarchais présente audacieusement, dans *Le mariage de Figaro*, à travers certains des propos ou des agissements féminins, une forme d'émancipation de la femme.

❿ En vous appuyant en particulier sur la scène 15 de l'acte III, montrez comment Beaumarchais dénonce la corruption du système judiciaire.

⓫ Est-il vrai que Beaumarchais dénonce la censure dans *Le mariage de Figaro* ?

⓬ En quoi cette pièce illustre-t-elle l'esprit des lumières ? Analysez et commentez.

⓭ Peut-on dire que cette pièce est plus réformiste que révolutionnaire ? Nuancez votre point de vue.

⓮ Analysez l'actualité de la pièce et son universalité.

⓯ Montrez que cette pièce illustre à quel point Beaumarchais maîtrise l'art de divertir.

Glossaire

Pour étudier le théâtre : lexique de base et autres termes

Antiapartheid : mouvement contre la ségrégation systématique des gens de couleur.

Aparté : ce qu'un personnage se dit à lui-même et qu'il fait entendre au public.

Bouchard : peintre français du XVIIIe siècle, qui peint des cabarets, des nus et des scènes orientalistes.

Boucher, François (1703-1770) : peintre tout en raffinement du libertinage amoureux.

Bourgeoisie : issu du peuple, ce groupe constitué de notables et de commerçants mise sur le travail, l'ambition et le talent pour progresser socialement.

Comédie : pièce de théâtre qui suscite le rire par la peinture de mœurs, de caractère, ou la succession de situations inattendues.

Commedia dell'arte : forme théâtrale italienne fondée sur l'improvisation, qui présente des personnages stéréotypés comme Arlequin, Matamore, Pantalon et Scaramouche.

Correspondances : à partir de la seconde moitié du XVIIIe siècle, ensemble de lettres périodiques, adressées de Paris à des correspondants étrangers.

Despotisme : pouvoir absolu, arbitraire et oppressif.

Didascalies : indications écrites, données par l'auteur pour la mise en scène. Le plus souvent, ces indications sont en italique dans le texte.

Diderot, Denis (1713-1784) : écrivain qui porte notamment sa réflexion sur le renouvellement des genres littéraires ; il dirige l'*Encyclopédie* de 1747 à 1766.

Dramatique : qui concerne le déroulement de l'action, qui est propre à l'action théâtrale.

Drame : type de pièce d'abord décrite par Diderot, philosophe des lumières, et qui devait représenter de façon vraisemblable la vie des bourgeois. Cette conception exerce une grande influence sur Beaumarchais qui s'y réfère notamment dans la préface de sa pièce. Le drame sera redéfini au siècle suivant par les romantiques.

Drame bourgeois : catégorie de pièce décrite par Diderot, qui souhaite présenter des scènes de la vie bourgeoise tout en cherchant à attendrir le public pour faire son éducation morale (*Eugénie* et *La mère coupable* sont des drames bourgeois écrits par Beaumarchais).

Fabliau : petit récit en octosyllabes, plaisant ou édifiant, propre à la littérature des XIIIe et XIVe siècles.

Farce : pièce de théâtre dont les origines remontent au Moyen Âge et qui s'adresse à un public populaire en misant notamment sur un comique de geste.

Favorite : maîtresse préférée du roi.

Fragonard, Jean-Honoré (1732-1806) : dans la mouvance du rococo, peintre de la frivolité amoureuse. Il est l'auteur de scènes galantes.

Genres dramatiques : catégories de pièces de théâtre qui se définissent par un but particulier : faire rire ou faire réfléchir, ou encore qui présentent un mélange de tonalités. Au XVIIIe siècle, on connaît la farce (qui remonte au Moyen Âge), la tragicomédie (associée au courant baroque), la tragédie et la comédie (les deux grands genres classiques) auxquelles s'ajoute le drame tel que défini dans un premier temps par Diderot. On emploiera le terme *forme dramatique* puisque le théâtre est aussi un genre littéraire.

Grivoiserie : qui est d'une gaieté licencieuse, un peu hardie.

Intrigue : enchaînement d'événements et d'actions qui forment la trame d'une pièce de théâtre.

Lafayette, marquis de (1757-1834) : général et homme politique français. Il a pris une part active à la guerre de l'Indépendance en Amérique, aux côtés des insurgés.

Libelle : écrit qui porte atteinte à la réputation ou à l'honneur de quelqu'un.

Libertinage : au XVIIe siècle, libre pensée en matière de politique et de religion. Puis, au siècle suivant, le terme prend une connotation négative en qualifiant une manière de vivre particulièrement débauchée.

Louis XV (1710-1774) : arrière-petit-fils de Louis XIV, il est monté sur le trône à l'âge de 5 ans, bien qu'il n'ait gouverné réellement qu'à l'âge de 33 ans. On le dit intelligent, mais sceptique, velléitaire et faible.

Louis XVI : né en 1754, il a été le roi de la France de 1774 à 1792. On le dit d'intelligence moyenne, de caractère indécis, vertueux, timide et solitaire. Il a été condamné à mort sans appel au peuple ni sursis, et exécuté en 1793.

Lumières : courant littéraire et philosophique qui domine au XVIIIe siècle, caractérisé par le recours à la raison et la confiance dans le progrès de l'humanité.

Lyrique : qui exprime des émotions ou des sentiments personnels.

Glossaire

Marivaux, Pierre Carlet de Chamblain de (1688-1763) : auteur de comédies amoureuses souvent précieuses, fondées sur l'art de l'implicite et du non-dit.

Molière (1622-1673) : le plus réputé des auteurs dramatiques français, à la fois acteur, metteur en scène et directeur de troupe. Il a exploré toutes les formes de comédies en prose et en vers tout en usant d'effets comiques multiples. Auteur notamment de *Tartuffe*, *Le misanthrope*, *Le malade imaginaire* et *Dom Juan*.

Monarchie : régime autocratique et héréditaire, selon lequel le souverain exerce seul le pouvoir, sans avoir à rendre de comptes à personne.

Monologue : énoncé d'un personnage se parlant à lui-même, à haute voix pour être entendu de l'auditoire.

Mozart (1756-1791) : musicien autrichien, un des plus grands maîtres de l'opéra ; il a composé notamment *L'enlèvement au sérail* (1781), *Don Giovanni* (1787) et *La flûte enchantée* (1791) ainsi que des symphonies, sonates et concertos pour piano. Maître de la mélodie, il sait atteindre la grandeur à travers la simplicité et la grâce.

Necker (1732-1804) : banquier genevois, seul ministre de Louis XVI qui n'était pas d'origine noble.

Népotisme : favoritisme, abus qu'une personne au pouvoir exerce pour procurer des avantages à ses amis ou à ses parents.

Noblesse : classe sociale qui se caractérise par le fait que ses membres héritent d'un titre et de privilèges à la naissance.

Parade : scène de farce jouée dans les rues pour attirer les gens au théâtre. Au XVIIIe siècle, la noblesse fait jouer dans ses cercles privés des parades imitant le langage populaire.

Pathétique (registre ou tonalité) : qui émeut fortement.

Pompadour, madame de : maîtresse déclarée de Louis XV. Elle a joué un rôle culturel, protégeant philosophes, artistes et écrivains.

Précepteur : éducateur privé à l'emploi des familles nobles ou de la haute bourgeoisie.

Prévost, Antoine-François, dit l'abbé (1697-1763) : auteur de *Manon Lescaut*, roman qui témoigne de l'influence persistante du courant baroque au XVIIIe siècle.

Quiproquo : méprise, erreur qui fait prendre une chose, une personne pour une autre.

Régence : exercice du pouvoir par un régent qui remplace le roi absent ou trop jeune pour régner.

Rossini (1792-1868): compositeur italien. Il a écrit notamment des opéras : *Le barbier de Séville* (1816), *La pie voleuse* (1817), *Guillaume Tell* (1829), un *Stabat Mater* (1842) et environ deux cents pièces diverses. Son sens inné de la mélodie et de l'effet théâtral lui a valu à Paris de grands succès.

Salons mondains: lieux de rencontre et de discussion de l'élite.

Satirique: qui caractérise un écrit, un discours qui s'attaque à quelqu'un ou à quelque chose en s'en moquant.

Stichomythies: courtes répliques qui se succèdent rapidement, contribuant ainsi à l'accélération du dialogue.

Sulfureux: synonyme de scandaleux.

Tirade: toute réplique un peu longue d'un personnage; dans les comédies, elle permet d'exprimer une opinion spirituelle un peu plus dense.

Tonalité: atmosphère particulière d'une scène ou de la pièce en général.

Tragédie: pièce de théâtre présentant des personnages de haute naissance, s'exprimant dans un langage soutenu, propre à susciter la terreur ou à inspirer la pitié.

Tragicomédie: pièce de théâtre dont le sujet est romanesque ou chevaleresque, et dont le dénouement est heureux.

Van Loo (1705-1765): Charles André, dit Carle, peintre français. Louis XV en avait fait son peintre; on lui doit entre autres *Le déjeuner sur l'herbe après la chasse, Les trois grâces, Neptune et Amymone, Le grand Turc donnant un concert à sa maîtresse.*

Versailles (le château de): palais royal édifié sous Louis XIV qui incarne, par la beauté de son architecture, de son décor intérieur et de ses jardins, l'idéal du classicisme.

Voltaire (1694-1778): premier écrivain français à assumer le rôle d'intellectuel engagé; il met son esprit satirique brillant au service de son combat contre les injustices d'un régime, celui de la monarchie absolue.

Watteau, Antoine (1684-1721): peintre de l'intimité amoureuse et de la mélancolie; son art de la nuance annonce l'impressionnisme.

Bibliographie et filmographie

Bibliographie

– Guy Belzane, *Maîtres et valets*, Gallimard, 1994.
– Michel Corvin, *Lire la comédie*, Dunod, 1994.
– Maurice Descotes, *Les grands rôles du théâtre de Beaumarchais*, P.U.F., 1974.
– Patrice Pavis, *Dictionnaire du théâtre*, Messidor-Éditions sociales, 1987.
– René Pomeau, *Beaumarchais ou la bizarre destinée*, coll. «Écrivains», P.U.F., 1987.
– Jacques Schérer, *La dramaturgie de Beaumarchais*, 4e édition, Nizet, 1994.
– Céline Thérien, *Anthologie de la littérature d'expression française des origines au romantisme - 2e édition*, Les Éditions CEC, 2006.
– Céline Thérien, *L'Abrégé: Notions littéraires, lecture, écriture*, Les Éditions CEC, 2010.
– Anne Ubersfeld, *Les termes clés de l'analyse du théâtre*, Éd. Du Seuil, 1996.

Filmographie

– *Beaumarchais l'insolent*, film d'Édouard Molinaro, d'après une pièce de Sacha Guitry, 1996.
– *La folle journée ou Le mariage de Figaro*, film de Roger Coggio, 1989.
– *Ridicule*, film de Patrice Leconte, 1997.

Dans la même collection

Tristan et Iseut

BALZAC
La Peau de chagrin

BAUDELAIRE
Les Fleurs du mal

CAMUS
L'Étranger
La Peste

CORNEILLE
Le Cid

GAUTIER
Contes fantastiques

HUGO
Les Misérables

JARRY
Ubu Roi

MARIVAUX
Le Jeu de l'amour et du hasard

MAUPASSANT
Récits réalistes et fantastiques

MOLIÈRE
Dom Juan
Les Femmes savantes
Le Misanthrope

MUSSET
On ne badine pas avec l'amour

RACINE
Phèdre

VIAN
L'Écume des jours
L'Arrache-cœur

VOLTAIRE
Candide
Zadig
L'Ingénu

ZOLA ET MAUPASSANT
Nouvelles réalistes